TEATRO
Y0-ASL-589

editores
mexicanos
unidos

CASA DE MUÑECAS; HEDDA GABLER

HENRIK IBSEN

Director de la colección: *Emilio Carballido*

Traducción de: *Else Wasteson*

Diseño de portada: *Alberto Díez*

Luis González Obregón 5-B
C.P. 06020 Tels. 521-88-70 al 74
Miembro de la Cámara Nacional
de la Industria Editorial. Reg. No. 115

ISBN: 968-15-0590-5

1a. edición, diciembre de 1984

1a. reimpresión junio de 1985

Distribuidor exclusivo en España:
EDIMUSA, S.A.
Ausias March 130, Tienda Derecha
Barcelona 13.

Impreso en México
Printed in Mexico

PROLOGO

Momento histórico

Cuando nace Henrik Ibsen el 28 de marzo de 1828 en Skien, una pequeña ciudad del sur de Noruega, este país aún pertenecía a Suecia.

Hasta el siglo IX la historia de Noruega se confunde con la de los países escandinavos. A partir de ese momento es dominada por Dinamarca quien pasa a integrar junto con Suecia el reino de la Confederación Escandinava. Suecia se retira en 1521 y en 1814 Dinamarca cede Noruega a Suecia.

Del pasado literario de Noruega —que había tenido su esplendor en plena Edad Media, en los siglos XI, XII y XIII—, no quedaba más que el recuerdo de los eddas, *las* sagas, *los* escalda *o poemas y el* lied *(melodía) popular, cuyos orígenes se remontaban a la época de los vikingos.*

Los eddas *—redactados principalmente en Islandia entre los siglos XII y XIV— eran colecciones de* sagas *y cada* saga *contaba una leyenda mitológica de los antiguos pueblos escandinavos.*

Cuando Noruega estuvo bajo el dominio de Dinamarca, padeció una decadencia cultural de cuatro siglos a la que se le llamó "La Noche de Cuatrocientos Años". En 1814, surge un nuevo periodo de esplendor que coincide con la liberación de Noruega de Dinamarca, si bien sigue dependiendo de una Suecia más liberal.

Es Noruega un país esencialmente montañoso y cubierto por extensas selvas. Al sur se extienden las planicies niveladas por los glaciares. La parte habitada del país es la costa, cortada por profundos fiordos, especie de golfos rodeados de altas montañas. Los numerosos valles permiten la cría del ganado y el desarrollo de la agricultura, así como la explotación de los bosques y el incremento de la pesca y la marina mercante ayudan a su economía.

La particular conformación geográfica ha influido en el hombre noruego, el cual se agrupa tanto en la costa como en los valles en pequeñas comunidades. Eso determina en cierto grado su individualismo y el interés que en él despierta la vida y el acontecer humano, muy diferente del que surge en las enormes ciudades cosmopolitas.

En permanente lucha con la naturaleza y con sus vecinos, desfavorecidos por un clima brumoso y sombrío, propenso a la ensoñación mística, intensamente religioso y luterano, el pueblo noruego gusta del contraste entre la realidad y la fantasía. Ese contraste prendió en la obra de Ibsen de tal manera que misterio y revelación, sombras y claridad forman un solo haz de creatividad de donde surgen las ideas del dramaturgo.

Es por lo tanto Ibsen un autor representativo del espíritu noruego. Si bien pasó muchos años fuera de su patria, fundamentalmente en Italia y Alemania, vivió su niñez y adolescencia al igual que sus últimos años en Noruega. Pero —y esto es lo principal— sus obras impregnadas de la historia, la vida social, las costumbres y los problemas de su país, trascienden el marco histórico-geográfico para pro-

yectarse como creaciones de tono universal.

Henrik Ibsen

No sólo del contraste de su tierra se nutrió el alma de Ibsen; también entre su padre y su madre anidó una singular diferencia. Mientras el padre era un hombre alegre y enérgico, amante de reuniones y fiestas, su madre, profundamente religiosa, poseía un carácter tímido y triste. Ibsen fue un niño solitario e introvertido a quien los deportes no le llamaban la atención, pero que dedicaba muchas horas al dibujo. Heredó sin duda el carácter de su madre, quien se ocupó de su educación. Ibsen asistió a una escuela humilde, ya que cuando contaba ocho años su familia sufrió una crisis económica que la obligó a mudarse a una granja modesta. Desde allí el niño debía caminar cinco kilómetros todos los días para asistir a clase, hasta que en 1842 la familia regresa a Skien, donde Ibsen ingresa a un colegio religioso.

A los 18 años trabaja y estudia medicina en una pequeña ciudad más al sur que Skien: En Grimstad devora libros con fruición y a los 20 años compone su primera pieza teatral: "Catilina".

Estamos en 1848 y "Catilina", cuyo protagonista lucha por regenerar una sociedad corrupta, no es ajena al proceso desencadenado por la revolución industrial que conmovió a toda Europa, ya que Noruega no quedó fuera de la crisis social que padecía el continente y su movimiento obrero reclamó reformas sociales y económicas, consideradas muy avanzadas por ese entonces, y fue violentamente reprimido por la reacción. Eran momentos decisivos en la historia europea y en Francia se instalaba el imperio de Napoleón III.

En 1850, Ibsen se instala en un barrio obrero de Cristianía, la capital de Noruega, actualmente llamada Oslo

Allí publica su "Catilina", aunque no obtiene críticas favorables ni consigue que se represente. Al poco tiempo decide abandonar sus estudios y dedicarse a escribir. En ese entonces el teatro de Cristianía resuelve poner en escena una obra suya, también escrita en Grimstad: "La tumba del guerrero". Aquí comienza su gran dominio de la técnica teatral que lo llevará a desempeñar por 10 años el cargo de director de escena. Sin embargo, durante el año que se estrena sin éxito "La tumba del guerrero", el autor tiene su atención puesta en la política, se dedica al periodismo y compone poemas. Vive duros momentos de pobreza y está casi al borde de la miseria cuando recibe el ofrecimiento para trabajar en el teatro de la ciudad de Bergen, donde, en algunas oportunidades, se había desempeñado como director escénico. Uno de los puntos del contrato era presentar una obra suya por año.

En 1851, Ibsen se instala en Bergen, centro del movimiento romántico nacionalista de Noruega. Participando de ese movimiento, compone: "La noche de San Juan" (1852); "La castellana de Ostrat" (1855); "La fiesta de Solhaug" (1856); y "Olaf Liliekrans" (1857); todos dramas de influencia romántica inspirados en la historia y las famosas sagas de los antiguos vikingos.

En 1857, de vuelta en Cristianía, donde había sido designado director artístico del Teatro Noruego, se casa con Susana Daae Thorense, que en ese entonces contaba 17 años de edad y ya manifesatba una madurez y una inteligencia propias de la gran mujer que acompañó la vida y la obra del autor, ejerciendo sobre él una gran influencia. Los siete años que el matrimonio vivió en Cristianía fueron de penurias, pese a que en 1858 Ibsen logra un formidable éxito con el estreno de "Los guerreros de Helgeland" y en 1862 publica "La comedia del amor", su primer drama contemporáneo, de tono realista.

No hay que olvidar que por esta época en Francia estaba en pleno auge el movimiento naturalista y realista, pero el teatro siguió esta evolución con algún retraso. Cuando el famoso director francés Antoine funda el "Teatro Libre" en 1887, lo primero que hace es difundir desde París las obras de Ibsen, uno de los precursores del teatro naturalista.

En 1864, Ibsen no soporta ya la vida en Cristianía, ciudad conservadoramente luterana, de espíritu prejuiciado y provinciano, y consigue una subvención de la universidad para realizar un viaje de estudios. Es así como parte hacia Roma con su esposa e hijo. En Roma comienza "Emperador y Galileo" que diez años más tarde publicará en Alemania y escribe "Brand" (1865) y Peer Gynt (1867), obra que inspirará al músico Grieg para realizar una composición musical del mismo nombre en 1874.

Trasladado a Alemania, Ibsen se instala en la ciudad de Dresden durante 20 años. Su vida en Alemania se caracteriza por una nueva etapa en su creación: el drama realista y el drama simbolista. "La unión de los jóvenes" (1869); "Las columnas de la sociedad" (1877); "Casa de muñecas" (1879); "Espectros" (1881); "Un enemigo del pueblo" (1882); "El pato silvestre" (1884); "La casa de Rosmer" (1886); "La dama del mar" (1888); "Hedda Gabler" (1890).

A los 63 años de edad, triunfante en el extranjero. Ibsen decide volver a su patria. Ahora sí reconocido y respetado por los suyos, trabaja intensamente alejado del mundo social, en la tranquilidad de su hogar. Sus obras, sin embargo, habían desatado una violenta revolución en el arte dramático que influiría hasta hoy en el mundo entero. Se puede decir con toda propiedad que Ibsen fue uno de los padres del drama moderno. Sus efectos sobre el teatro inglés e irlandés, por ejemplo, fueron decisivos. Dice

George Sampson en su "Historia de la literatura inglesa" (tomo II. pág. 640):

"Ningún escritor inglés de primera categoría concedió en aquel tiempo la menor importancia al teatro. Lo que forzó al teatro inglés a percatarse de su ineptitud artística fue el tremendo golpe que le asestó Ibsen con su crítica de la vida, implacable y desnuda de sentimentalismo y su demostración palmaria de las posibilidades que ofrece al dramaturgo la vida real de la gente ordinaria y en las circunstancias ordinarias (...). En 1891, comenzó sus actividades el Teatro Independiente fundado por J. T. Grein y presentó en las tablas ante el público inglés las obras de Ibsen y otros dramaturgos continentales serios. Difícil se le hará al lector moderno comprender la formidable rechifla con que los críticos teatrales de prestigio y el público acogieron las obras ibsenianas. Entre otras lindezas de estilo aún más robusto, lo calificaron de "perro busca estiércol". A voz en cuello pedía el público la proscripción de cuantos intervenían en las representaciones. Pero, aborrecido y todo, Ibsen hizo imposible a los dramaturgos ingleses el continuar engañando a su gente con dramones."

Sin embargo, "aborrecido y todo" —como dice Sampson—, su capacidad para golpear directamente en el estómago de la clase media y la burguesía y provocar en ellas la lógica reacción de rechazo al ver reflejada, en tan lúcido espejo, su vida cotidiana, le fue granjeando las simpatas de los progresistas y entró a formar parte de la rebelión general contra el drama comercial y los convencionalismos. Al efecto, dice Sampson: "El influjo del renacimiento (literario) irlandés se dejó sentir especialmente en el teatro (...). Apenas es paradójico decir que el padre del renacimiento dramático irlandés fue Ibsen".

Casa de muñecas

Cuando Casa de muñecas *fue estrenada en 1876 en Alemania levantó un revuelo considerable, desató violentas polémicas y escandalizó a más de un hogar "honorablemente constituido".*

La vida del matrimonio Helmer, que Ibsen presenta al principio de la obra como un ejemplo de perfección y felicidad, va descubriendo poco a poco sus distintas facetas, sus diferentes rasgos psicológicos para llevarnos, sin que nos demos cuenta, a un desenlace sorpresivo y no previsto por los esquemas tradicionales. Ese desenlace, difícil de creer, se nos hace verosímil a través de la maestría con que Ibsen dibuja sus personajes.

Nora, la protagonista, es una mujer llena de vida que ama a sus hijos y a su marido profundamente, que los cuida y los divierte con sus juegos, sus cantos y sus bailes, pero cuya personalidad está marcada y completada por otra faceta: el amor es el centro de su vida, lo que maneja sus actos. Por lo tanto no tendrá reparos en hacer lo que sea necesario —aun corriendo riesgos— para evitar a los que ama cualquier sufrimiento. Es así que ha contribuido, a salvar, la vida de su marido sin que éste lo sepa, pidiendo préstamos para llevarlo al Mediodía donde logra curarse, creyendo que el dinero proviene de una ayuda de su suegro. Pero Nora había falsificado la firma de su padre para poder conseguirlo quedando a merced del prestamista que, al darse cuenta, intenta extorsionarla.

El marido, Torvaldo Helmer, es un hombre que cuida meticulosamente su honor y el de su familia. La opinión de los demás le es fundamental para su realización personal dentro de la sociedad. Ignora Ey nunca se ha preocupado por saberlo— l afaceta oculta de su mujer a la que considera una perfecta madre y ama de casa, a la que ve frágil y delicada como una muñeca que debe cuidar y que gusta lucir en las reuniones con sus amigos.

Nora, mientras tanto, sueña con un milagro: el milagro de que en el momento que su marido se entere de la verdad, sepa reconocer esa prueba de amor, asumiendo él su culpa frente al mundo para protegerla, cosa que naturalmente ella no va a permitir. Pero llegado el momento, las fantasías que alimentan la mente y el corazón de Nora no encuentran eco en la realidad. Cuando el tan temido y esperado enfrentamiento con su marido se realiza, la primera reacción de Torvaldo es de egoísmo. Mientras piensa que el mundo conocerá la falta de su esposa, se desespera y la trata de criminal, pero cuando recibe la noticia de que el hombre que la extorsionaba renuncia a dar publicidad al asunto, vuelve la mirada hacia "su pequeña alondra" para perdonarla ya que todo quedará en secreto. "¡Estoy salvado!", dice y para él no ha pasado nada. Pero para Nora todo ha cambiado. Descubriendo la mezquindad de su marido, duda ya de su amor hacia él, piensa que estuvo enamorada de un ideal y no de ese hombre que ahora considera como un extraño. Abandona entonces su hogar y renuncia al lugar que la sociedad y su esposo le han asignado.

La mayor polémica se desató por este final, enardeciendo al público europeo. El punto decisivo era si se le reconocía o no, a Nora, el derecho de cumplir su destino como ser humano con ideas propias frente al mundo. Esa polémica no era ni más ni menos que un reflejo de la mentalidad imperante en la época y cuyas implicancias sociales y culturales aún no han perdido del todo su vigencia.

Si bien no parece lógico que una mujer tierna y amante como Nora se aleja de sus hijos por propia decisión, este resultado —no imposible— es un recurso dramático del que Ibsen echa mano llevándolo al extremo, justamente para golpear allí, donde más le interesa. La diferencia de actitudes entre Nora y Torvaldo demuestran que no debemos dejarnos guiar por las apariencias —el carácter aparentemente frívolo y encantador de Nora, la amorosa severidad y el aparente espíritu protector de Torvaldo—, y que la verdadera generosidad es trastocada por la sociedad, ya que se juzgan las faltas sin conocer las motivaciones, cuando éstas pueden nacer a veces de impulsos altruistas. La concepción del amor y de la vida que tiene Nora es más profunda que la de Torvaldo. Si su marido no la hubiera perdonado, quizás ella no habría tomado una decisión tan drástica, pero es el egoísmo con rasgos de hipocresía lo que desata en ella la rebeldía, la desilusión frente al hombre que amó y admiró. Es él y no ella, quien participa de la corrupción moral de una sociedad que no ataca a fondo sus males, sino que se contenta con esconder la basura debajo de la alfombra.

—"Sólo se trata de salvar las apariencias..." —dice Torvaldo.

Y más adelante, Nora le explica:

—Lo único que sé es que tengo una opinión absolutamente distinta de la tuya. También he llegado a saber que las leyes no son como yo pensaba; pero no logro comprender que estas leyes sean justas.

—Hablas como un niño —contesta Torvaldo—. No comprendes nada de la sociedad de que formas parte.

—No, no comprendo nada. Pero quiero averiguar quién tiene razón, si la sociedad o yo.

El final del siglo XIX, fue la época de la "mujer nueva" y esto se hizo sentir en la literatura de todo el mundo. Desde hacía mucho tiempo las mujeres habían estado llamando a las puertas de las profesiones que les estaban cerradas y que eran privilegio de los varones. Ahora la controversia entre varones y mujeres estaba planteada. Hasta ese momento, la mujer era el ser endeble que necesitaba la protección del hombre. Se le inculcaba la ignorancia material, económica, política, biológica, como parte de sus encantos femeninos, claro que esa ignorancia no se denominaba ignorancia, sino inocencia.

"Los más implacables adversarios de las mujeres valerosas que se abrieron paso en las profesiones, sin embargo, dice Sampon, fueron las demás mujeres".

Y esto último tiene gran trascendencia porque el peor enemigo de la liberación femenina no era el sexo opuesto, sino aquellas mujeres apegadas aún a su papel secundario y a los prejuicios. Ejemplo de esto lo tuvo el propio Ibsen cuando debió renunciar en Roma a su calidad de miembro del Club Escandinavo por una disputa en torno al derecho de las mujeres a votar en los asuntos relacionados con esa institución.

"Temo a las mujeres tan poco como temo al verdadero artista", dijo en aquella ocasión. Sin embargo, el sector femenino del club estaba decididamente en su contra.

Casa de muñecas tuvo, por supuesto, no sólo adversarios masculinos sino femeninos. Torvaldo representa a la sociedad. Nora, las ideas nuevas que deben abrirse paso. Cualquier hombre nuevo luchará por transformar la sociedad en que vive en otra mejor, pero cualquier mujer nueva representará un peligro para los cimientos mismos de esa sociedad: el concepto que ésta tiene de familia y el lugar que en ella asigna a sus integrantes. En todas las revoluciones de todos los tiempos y de todos los países, la mujer ha tomado parte activa combatiendo junto al hombre, pero el avance efectivo hacia la ocupación de su verdadero lugar como ser constructor de esa sociedad todavía no se ha alcanzado plenamente. Sólo hombres y mujeres nuevos podrán realizar juntos el milagro de un mundo mejor. Así lo señala Ibsen al final de Casa de muñecas.

Helmer.—Nora... ¿No seré ya más que un extraño para ti?

Nora— (.Recogiendo su maletín) *¡Ah, Torvaldo! ¡Tendría que realizarse el mayor de los milagros...!*

Helmer.—Dime cuál.

Nora.—Tendríamos que transformarnos los dos hasta el extremo de... ¡Ay Torvaldo! ¡No creo ya en los milagros!

Helmer.—Pero yo sí quiero creer en ellos. Di. ¿Transformarnos hasta el extremo de...?

Nora.—...hasta el extremo de que nuestra unión llegara a convertirse en un verdadero matrimonio. Adiós.

La concepción que de un matrimonio verdadero tiene Nora, fue en su tiempo una concepción revolucionaria. Más decidida y menos desesperada que la Ana Karenina de León Tolstoi, Nora no recurre al suicidio —final que hubiera hecho derramar más lágrimas al público y desatar menos odios—, sino que permanece para aprender, para educarse, como le dice a su marido.

Lo que en algunos momentos, a través de las duras palabras de Nora, se nos aparece como una conclusión pesimista de Ibsen sobre un posible cambio en la sociedad de su época, se nos revela hacia el final como un esperanzado idealismo, cuando el marido se pregunta a solas: "¿El mayor de los milagros?". "Con esperanza naciente", acota Ibsen, dejando entrever la posibilidad de que Torvaldo podría intentar una transformación a través de su conciencia.

Con un desarrollo ágil y de alta calidad técnica, innovadora en su tiempo. Casa de muñecas *se convirtió en un baluarte para la causa feminista y acentuó la tónica realista que en esta etapa tuvo su autor.*

Ibsen, sin embargo, nunca perdió del todo su espíritu romántico-idealista de los viejos tiempos. Ya en su vejez solía recordar sus primeras creaciones cuando comenzó como narrador de cuentos casi fantásticos basados en los dramas poéticos de los vikingos y cuando fascinado por las oscuras montañas que bordean los fiordos noruegos descubría en ellas las voces de antiguos héroes, la morada de los duendes y muchos otros temibles tesoros que aquellas montañas guardan. Es que quizás no fue "de una modesta población de la costa oriental" —como dice la leyenda— de donde "surgió el genio artístico que con un ademán gigantesco abrió las ventanas de los salones victorianos, sumidos en la oscuridad, y los iluminó con obras racionales, con conciencia social, que serían modelo para futuros dramaturgos..." sino que tal vez fue él mismo un duende burlón, desprendido de su morada en las montañas, que bajó a la costa y se asomó al mundo para contribuir, con admirable espíritu crítico, a la literatura universal.

Hedda Gabler

¿Sería exageración decir que Hedda Gabler es como el negativo de la misma imagen femenina? Sí, pero sirven las comparaciones desmesuradas para encontrar un punto de referencia.

Nora y Hedda son hijas de padre y no de madre, ambas son la mujer típica de la pequeña y gran burguesía del siglo XIX. Ambas tienen matrimonios sobre cimientos de arena, fundados en muy malas razones como son el engaño y desconocimiento mutuos (consciente en Hedda, ignorado por Nora hasta su gran anagnórisis). Y en ambas es un determinante fortísimo la situación general de la mujer dentro de la sociedad, su dependencia sin salida, la falta de alternativas para una grandeza de carácter que necesita explayarse en gestos magnos.

Ahora bien, Hedda posee una sexualidad fuerte y agresiva, que toma la iniciativa casi, en forma masculina. (El símbolo de las pistolas no puede escapar a un lector postfreudiano, pero tampoco al intuitivo poeta noruego: pistola, arma agresiva, elemento varonil). Hedda ha vivido una curiosa forma de corrupción con Lovborg, consistente en la audacia verbal con que ella interroga y él responde a cuanta curiosidad sexual se ofrece a una joven reprimida y hundida por el medio en la ignorancia de los hechos más básicos de la vida. Esto da una identificación y una posesividad a ambos, en que la única conclusión sana y lógica sería la cama. Pero Hedda es cobarde, no puede romper prejuicios, no puede contemplar de frente la vida, no puede ni siquiera enfrentarse a un matrimonio que parece inseguro. Escoge lo que ella cree conveniente y empieza esa cadena de errores que tan mal acabará. Hedda se ha cerrado las puertas de la vida y no soporta ni siquiera el embarazo, que la amenaza con una servidumbre más. Y ante ella se levanta esa mujercita ridícula, capaz, por amor, de hacer frente al escándalo y a la miseria y a lo que se ofrezca. Esa ratoncita, la señora Elvsted, es la contrafigura que el didáctico Ibsen nos ofrece para mejor entender las fallas trágicas y las limitaciones de esa terrible Hedda, a la que amamos y compadecemos a pesar de su tremenda, medéica fuerza de destrucción.

Nora y Hedda son dos ejemplos de cómo la sociedad manipulaba a la mujer en forma tal que cercenaba sus impuso vitales o le hacía derivarlos hacia formas corruptas y criminales (falsificación, suicidio por interpósita persona...).

Como tragedias, como obras literarias, Casa de muñecas *y* Hedda Gabler *prometen ser eternas. Como obras de denuncia social, es lamentable contestar que no puede afirmarse que hayan dejado de ser actuales.*

Luciana Possamay / Emilio Carballido

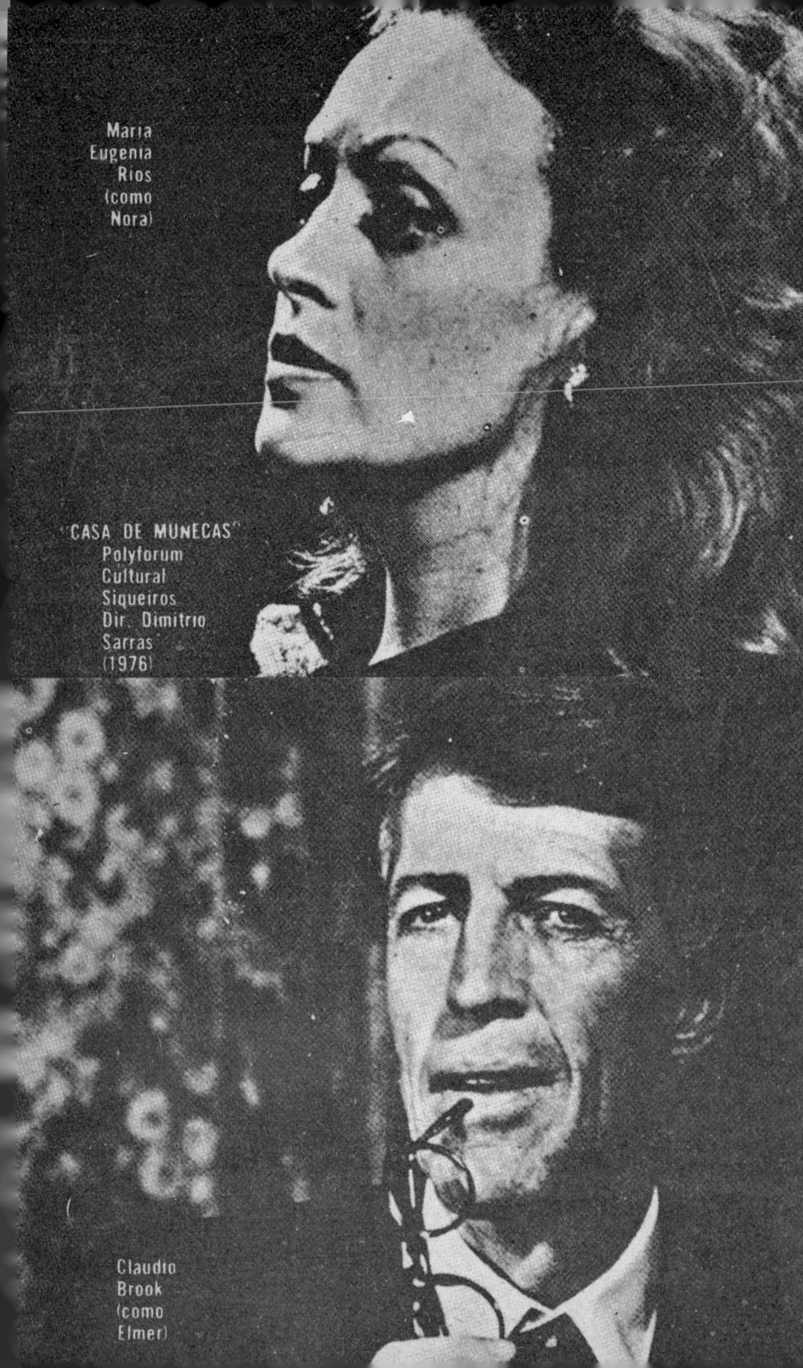

Maria Eugenia Rios (como Nora)

"CASA DE MUÑECAS" Polyforum Cultural Siqueiros Dir. Dimitrio Sarras (1976)

Claudio Brook (como Elmer)

HENRIK IBSEN

CASA DE MUÑECAS

Drama en tres actos

(1879)

PERSONAJES

HELMER, abogado

NORA, su esposa

EL DOCTOR RANK

KROGSTAD, procurador

SEÑORA LINDE, amiga de Nora

LOS TRES NIÑOS DEL MATRIMONIO HELMER

ANA MARÍA, su niñera

ELENA, doncella de los Helmer

UN MOZO DE CUERDA

La acción, en Noruega, en casa de los Helmer.

ACTO PRIMERO

Sala acogedora, amueblada con gusto, pero sin lujo. En en el fondo, a la derecha, una puerta conduce a la antesala, y a la izquierda, otra al despacho de Helmer. Entre ambas hay un piano. En el centro del lateral izquierdo, otra puerta, y más allá, una ventana. Cerca de la ventana, una mesa redonda, con un sofá y varias sillas alrededor. En el lateral derecho, junto al foro, otra puerta, y, en primer término, una estufa de azulejos,[1] *con un par de sillones y una mecedora enfrente. Entre la estufa y la puerta lateral, una mesita. Grabados en las paredes. Repisa con figuritas de porcelana y otros menudos objetos de arte. Un pequeño librero con libros encuadernados primorosamente. Alfombra. La estufa está encendida. Día de invierno.*

En la antesala suena una campanilla; momentos más tarde se oye abrir la puerta. Nora entra en la sala tarareando alegremente, vestida de calle y cargada de paquetes, que deja sobre la mesita de la derecha. Por la puerta abierta de la antesala, se ve un Mozo con un árbol de Navidad y un cesto, todo se lo entrega a la doncella que ha abierto.

[1] En Noruega está bastante extendido el uso de estas estufas, llamadas suecas, con un metro de diámetro y dos de altura.

NORA. Esconde bien el árbol, Elena. No deben verlo los niños de ninguna manera hasta esta noche, cuando esté arreglado. *(Dirigiéndose al muchacho, mientras saca el portamonedas.)* ¿Cuánto es?

EL MOZO. Cincuenta ore.[2]

NORA. Tenga: una corona. No, no; quédese con el vuelto. *(El Mozo da las gracias y se va. Nora cierra la puerta. Continúa sonriendo mientras se quita el abrigo y el sombrero. Luego saca del bolsillo un cucurucho de almendras y saca un par de ellas. Después se acerca cautelosamente a la puerta del despacho de su marido.)* Sí, está en casa. *(Se pone a tararear otra vez según se dirige a la mesita de la derecha.)*

HELMER. *(Desde su despacho.)* ¿Es mi alondra la que está gorjeando ahí fuera?

NORA. *(A tiempo que abre unos paquetes.)* Sí, es ella.

HELMER. ¿Es mi ardilla la que está enredando?

NORA. ¡Sí!

HELMER. ¿Hace mucho que ha llegado mi ardilla?

NORA. Ahora mismo. *(Guarda el cucurucho en el bolsillo y se limpia la boca.)* Ven aquí, mira lo que he comprado.

HELMER. ¡No me interrumpas ahora! *(Al poco rato abre la puerta y se asoma con la pluma en la mano.)* ¿Has dicho comprado? ¿Todo eso? ¿Pero se ha atrevido el pajarito cantor a tirar el dinero?

NORA. Torvaldo, este año podemos excedernos un poco. Es la primera Navidad que no tenemos que andar con apuros.

HELMER. Sí, sí, aunque tampoco podemos derrochar, ¿sabes?

[2] Aproximadamente diez centavos.

NORA. Un poco sí que podremos, ¿verdad? Un poquito, nada más. Ahora que vas a tener un buen sueldo, y a ganar muchísimo dinero...

HELMER. Sí, a partir de Año Nuevo. Pero tendrá que pasar un trimestre antes que cobre nada.

NORA. ¿Y qué importa eso? Entre tanto, podemos pedir prestado.

HELMER. ¡Nora! *(Se acerca a ella y, bromeando, le tira de una oreja.)* ¿Reincides en tu ligereza de siempre?... Suponte que hoy pido prestadas mil coronas, que tú te las gastas durante la semana de Navidad, que en la Noche Vieja me cae una teja en la cabeza, y me quedo en el lugar...

NORA. ¡Qué horror! No digas esas cosas.

HELMER. Bueno; pero suponte que ocurriera. Entonces, ¿qué?

NORA. Si sucediera semejante cosa, me sería del todo indiferente tener deudas que no tenerlas.

HELMER. ¿Y a los que me hubieran prestado el dinero?

NORA. ¡Quién piensa en ellos! Son personas extrañas.

HELMER. ¡Nora, Nora! Eres una verdadera mujer. En serio, Nora, ya sabes lo que pienso de todo esto. Nada de deudas, nada de préstamos. En el hogar fundado sobre préstamos y deudas se respira una atmósfera de esclavitud, un no sé qué de inquietante y fatídico que no puede presagiar sino males. Hasta hoy mismo nos hemos sostenido con suficiente entereza. Y así seguiremos el poco tiempo que nos queda de lucha.

NORA. En fin, como gustes, Torvaldo.

HELMER. *(Que va tras ella.)* Bien, bien; no quiero ver a mi alondra con las alas caídas. ¿Qué, acaba por enfurruñarse mi ardilla? *(Saca su billetera.)* Nora, adivina lo que tengo aquí.

NORA. *(Volviéndose rápidamente.)* ¡Dinero!

HELMER. Toma, mira. *(Entregándole algunos billetes.)* ¡Vaya, si sabré yo lo que hay que gastar en una casa cuando se acercan las Navidades!

NORA. *(Contando.)* Diez, veinte, treinta, cuarenta... ¡Muchas gracias, Torvaldo! Con esto tengo para bastante tiempo.

HELMER. Así lo espero.

NORA. Sí, sí; ya verás. Pero ven ya, porque voy a enseñarte todo lo que he comprado. Y además, baratísimo. Fíjate... aquí hay un sable y un traje nuevo, para Ivar; aquí, un caballo y una trompeta, para Bob, y aquí, una muñeca con su camita, para Emmy. Es de lo más ordinario: como enseguida lo rompe... Mira: aquí, unos cortes de vestido y pañuelos, para las muchachas. La vieja Ana María se merecía mucho más...

HELMER. Y en ese paquete, ¿qué hay?

NORA. *(Gritando.)* ¡No, eso no, Torvaldo! ¡No lo verás hasta esta noche!

HELMER. Conforme. Pero ahora dime, manirrota: ¿has deseado algo para ti?

NORA. ¿Para mí? ¡Qué importa! Yo no quiero nada.

HELMER. ¡No faltaba más! Anda, dime algo que te guste, algo razonable.

NORA. No sé... francamente. Aunque sí...

HELMER. ¿Qué?

NORA. *(Juguetea con los botones de la chaqueta de su marido, sin mirarlo.)* Si insistes en regalarme algo podrías... Podrías...

HELMER. Vamos, dilo.

NORA. *(De un tirón.)* Podrías darme dinero, Torvaldo. Nada, lo que buenamente quieras, y un día de estos compraré una cosa.

HELMER. Pero, Nora...

NORA. Sí, Torvaldo; oye, vas a hacerme ese favor. Colgaré del árbol dinero envuelto en un papel dorado, ¿te parece bien?

HELMER. ¿Cómo se llama ese pájaro que siempre está despilfarrando?

NORA. Ya, ya; el estornino; lo sé. Pero vamos a hacer lo que te he dicho, ¿verdad, Torvaldo? Así tendré tiempo de pensar en lo que necesito. ¿No crees que es lo más acertado?

HELMER. *(Sonriendo.)* Por supuesto, si verdaderamente guardaras el dinero que te doy y compraras algo para ti. Pero luego resulta que vas a gastártelo en la casa o en cualquier cosa inútil, y después tendré que desembolsar otra vez.

NORA. ¡Qué idea, Torvaldo!...

HELMER. Querida Nora, no puedes negarlo. *(Rodeándole la cintura.)* El estornino es encantador, pero gasta tanto... ¡Es increíble lo que cuesta a un hombre mantener un estornino!

NORA. ¡Qué exageración! ¿Por qué dices eso? Si yo ahorro todo lo que puedo.

HELMER. *(Riendo.)* Eso sí es verdad. Todo lo que *puedes;* pero lo que pasa es que no puedes nada.

NORA. *(Canturrea y sonríe alegremente.)* ¡Si tú supieras lo que tenemos que gastar las alondras y las ardillas, Torvaldo!

HELMER. Eres una criatura original. Idéntica a tu padre. Haces verdaderos milagros por conseguir dinero, y en cuanto lo obtienes, desaparece de tus manos, sin saber nunca adónde ha ido a parar. En fin, habrá que tomarte tal como eres. Lo llevas en la sangre. Sí, sí, Nora; no cabe la menor duda de que esas cosas son hereditarias.

NORA. ¡Bien me hubiera gustado heredar ciertas cualidades de papá!

HELMER. Pero si yo te quiero conforme eres, mi querida alondra. Aunque... Oye, ahora que me fijo... noto que tienes una cara..., vamos..., una cara de susto hoy...

NORA ¿Yo?

HELMER. Ya lo creo. ¡Mírame al fondo de los ojos!

NORA. *(Mirándolo.)* ¿Qué?

HELMER. *(La amenaza con el dedo.)* ¿Qué diablura habrá cometido esta golosa en la ciudad?

NORA. ¡Bah, qué ocurrencia!

HELMER. ¿No habrá hecho una escapadita a la confitería?

NORA. No; te lo aseguro, Torvaldo.

HELMER. ¿No habrá chupeteado algún caramelo?

NORA. No, no; ni pensarlo.

HELMER. ¿Ni siquiera habrá roído un par de almendras?

NORA. Que no, Torvaldo, que no; puedes creerme.

HELMER. Pero, mujer, si te lo digo en broma.

NORA. *(Aproximándose a la mesa de la derecha.)* Comprenderás que no iba a arriesgarme a hacer algo que te disgustara.

HELMER. No, ya lo sé. Además, ¿no me lo has prometido?... *(Acercándose a ella.)* Puedes guardarte tus secretos de Navidad. Esta noche, cuando se encienda el árbol, supongo que nos enteraremos de todo.

NORA. ¿Te has acordado de invitar al doctor Rank?

HELMER. No, ni es necesario. De sobra sabe que cenará con nosotros; está descontado. De todos modos, lo invitaré ahora por la mañana, cuando venga. He encargado buen vino. Nora, no puedes darte idea de la ilusión que tengo con esta noche.

NORA. Yo también. ¡Cómo se van a divertir los niños, Torvaldo!

HELMER. ¡Ah, qué alegría pensar que estamos en una posición sólida, con un buen sueldo!... ¿No es ya una dicha el solo hecho de pensar en ello?

NORA. ¡Oh, sí! ¡Parece un sueño!

HELMER. ¿Te acuerdas de la última Navidad? Durante tres semanas te encerrabas todas las noches hasta después de las doce, haciendo flores y otros mil prodigios para el árbol. ¡Uf!, fue la temporada más aburrida que he pasado.

NORA. ¡Entonces sí que no me aburría yo!

HELMER. *(Sonriente.)* Pero el resultado fue bastante lamentable, Nora.

NORA. ¡Oh! no dejas de burlarte de mí por eso. ¿Qué culpa tengo yo de que el gato entrase y destrozara todo?

HELMER. No, claro que no, querida Nora. Ponías el mayor empeño en alegrarnos a todos, que es lo principal. Pero, en fin, más vale que hayan pasado los malos tiempos.

NORA. Es verdad; casi me parece una pesadilla.

HELMER. Ahora ya no hace falta que me quede aquí solo y aburrido, y tú no tendrás que atormentar más tus queridos ojos y tus lindas manos.

NORA. *(Palmotea.)* ¿Verdad que no, Torvaldo? Ya no hace falta. ¡Qué alegría me da oírtelo! *(Cogiéndolo del brazo.)* Te voy a decir cómo he pensado que vamos a arreglarnos en cuanto pasen las Navidades... *(Suena la campanilla en la antesala.)* ¡Ah! llaman. *(Ordena un poco los muebles.)* Ya viene alguien. ¡Qué contrariedad!

HELMER. Acuérdate de que no estoy para las visitas.

ELENA *(Desde la puerta de la antesala.)* Señora, es una señora desconocida...

NORA. Que pase.

ELENA. *(A Helmer.)* También acaba de llegar el señor doctor.

HELMER. ¿Ha pasado directamente al despacho?

ELENA. Sí, señor. *(Helmer entra en su despacho. La doncella introduce a la Señora Linde, en traje de viaje, y cierra la puerta tras ella.)*

SEÑORA LINDE. Buenos días, Nora.

NORA. *(Indecisa.)* Buenos días.

SEÑORA LINDE. Por lo visto, no me reconoces.

NORA. No..., no sé... ¡Ah!, sí, me parece... *(De pronto exclama:)* ¡Cristina! ¿Eres tú?

SEÑORA LINDE. Sí, soy yo.

NORA. ¡Cristina! ¡Y yo que no te había reconocido! Pero ¡quién diría que...! *(Más bajo.)* ¡Cómo has cambiado!

SEÑORA LINDE. Sí, seguramente. Hace nueve largos años...

NORA. ¿Es posible que haga tanto tiempo que no nos vemos? Sí, en efecto. ¡Ah! no puedes figurarte qué felices han sido estos últimos ocho años. ¿Conque ya estás aquí, en la ciudad? ¿Cómo has emprendido un viaje tan largo en pleno invierno? Has sido muy valiente.

SEÑORA LINDE. Ya ves; acabo de llegar esta mañana en el vapor.

NORA. Para festejar las Navidades, naturalmente. ¡Qué bien! ¡Cuánto vamos a divertirnos! Pero quítate el abrigo. ¡Anjá! Ahora nos sentaremos aquí, con comodidad, al lado de la estufa. No; mejor es que te sientes en el sillón. Yo me siento en la mecedora. *(Cogiéndole las manos.)* ¿Ves? Ya tienes tu cara de antes; era sólo en el primer momento... De todos modos, estás algo más pálida, Cristina... y quizá un poco más delgada.

SEÑORA LINDE. Y muchísimo más vieja, Nora.

NORA. Acaso un poco más madura..., un poquito, no mucho. *(Se para, repentinamente seria.)* ¡Qué distraída soy! ¡Sentada aquí, cotorreando! Mi buena Cristina, ¿puedes perdonarme?

SEÑORA LINDE. ¿Qué quieres decir, Nora?

NORA. *(Bajando la voz.)* ¡Pobre Cristina! Te has quedado viuda, ¿no?

SEÑORA LINDE. Sí, hace ya tres años.

NORA. Lo sabía; lo leí en los periódicos. ¡Ay, Cristina!, tienes que creerme: pensé muchas veces en escribirte; pero lo fui dejando de un día para otro, y además, siempre había algo que lo impedía.

SEÑORA LINDE. Lo comprendo perfectamente.

NORA. Sí, Cristina, me he portado muy mal. ¡Pobrecita! ¡Cuánto habrás sufrido!... ¿No te ha dejado nada para vivir?

SEÑORA LINDE. No.

NORA. ¿Y no tienes hijos?

SEÑORA LINDE. No.

NORA. Así, pues, ¿nada?

SEÑORA LINDE. Ni siquiera una pena..., ni una nostalgia.

NORA. *(Mirándola, incrédula.)* Pero Cristina, ¿cómo es posible?

SEÑORA LINDE. *(Sonríe tristemente mientras le acaricia el cabello.)* Son cosas que ocurren a veces, Nora.

NORA. ¡Tan sola! Debe de ser horriblemente triste para ti. Yo tengo tres niños encantadores. Por el momento no puedes verlos; han salido con la niñera. Vamos, cuéntamelo todo.

SEÑORA LINDE. No, no; primero, tú.

NORA. No; te toca empezar a ti. Hoy no quiero ser egoísta; sólo quiero pensar en tus asuntos. Únicamente voy a decirte una cosa. ¿Te has enterado de la fortuna que nos ha sobrevenido estos días?

SEÑORA LINDE. No. ¿Qué es?

NORA. ¡Imagínate! ¡A mi marido lo han nombrado director del Banco de Acciones!

SEÑORA LINDE. ¿A tu marido? ¡Qué suerte!

NORA. ¡Sí, grandísima! ¡Es tan insegura la posición de un abogado!... Sobre todo cuando no quiere ocuparse más que de asuntos lícitos... Y como es lógico, así ha hecho Torvaldo, con lo que me hallo de completo acuerdo. No puedes figurarte lo contentos que estamos. Para Año Nuevo tomará posesión, y percibirá un buen sueldo, con muchos beneficios. Por fin podremos cambiar del todo esta manera de vivir..., completamente a nuestro gusto. ¡Oh, Cristina, qué feliz me siento! Es algo maravilloso eso de poseer mucho dinero y verse libre de preocupaciones, ¿verdad?

SEÑORA LINDE. Sí; al menos, debe de ser una tranquilidad poseer lo necesario.

NORA. No, no sólo lo necesario, sino dinero en abundancia.

SEÑORA LINDE. *(Sonríe.)* ¡Nora, Nora! ¿Todavía no tienes sentido común? En el colegio eras una malgastadora.

NORA. *(Sonríe a su vez.)* Sí, eso dice aún Torvaldo. *(Amenazando con el dedo.)* Pero «Nora, Nora» no es tan loca como ustedes suponen. Además, no hemos tenido mucho que derrochar, realmente. Los dos nos hemos visto obligados a trabajar.

SEÑORA LINDE. ¿También tú?

NORA. Sí; nada, pequeñeces: bordar, tejer... *(Sin darle importancia.)* ¡Qué se yo!... No ignorarás que Torvaldo salió del ministerio cuando nos casamos. Tenía pocas esperanzas de ascenso, y como tenía que ganar más que antes... Pero el primer año se abrumó de trabajo. Debía buscarse toda clase de quehaceres, como comprenderás, y trabajaba día y noche. Pero no pudo resistirlo y cayó gravemente enfermo. Los médicos declararon indispensable que se marchara al Mediodía.

SEÑORA LINDE. Es cierto. Estuvieron un año en Italia.

NORA. Sí, y no creas que fue nada fácil marcharnos. Justamente acababa de nacer Ivar... Pero había que ir. Fue una viaje encantador, y gracias a él, Torvaldo salvó la vida. Eso sí, costó dinero cantidad.

SEÑORA LINDE. Ya me lo imagino.

NORA. Unas cuatro mil ochocientas coronas. Bastante, ¿eh?

SEÑORA LINDE. Sí; pero, en casos como ese, es toda una suerte poseerlo.

NORA. Porque nos lo dio papá.

SEÑORA LINDE. ¡Ah!, sí. Fue poco antes de morir, si mal no recuerdo.

NORA. Sí, Cristina, exactamente. ¡Y pensar que se me hizo imposible ir a cuidarlo! Estaba esperando de un día a otro que naciera Ivar, y también debía preocuparme de mi pobre Torvaldo moribundo. ¡Padre querido! No volví a verlo, Cristina. Es lo más penoso que he pasado desde que me casé.

SEÑORA LINDE. Ya sé que le tenías mucho cariño. ¿De modo que se marcharon a Italia?

NORA. Sí; teníamos el dinero, y los médicos nos apremiaban. Nos marchamos un mes después.

SEÑORA LINDE. ¿Y volvió tu marido radicalmente curado?

NORA. Radicalmente.

SEÑORA LINDE. Luego ¿ese médico...?

NORA. ¿Cómo dices?

SEÑORA LINDE. Me ha parecido oír a la doncella que ese señor que entraba conmigo era un doctor...

NORA. ¡Ah, sí! Es el doctor Rank; pero no viene como médico. Es nuestro mejor amigo, y nos hace, cuando menos, una visita al día. No, Torvaldo no se ha sentido enfermo desde entonces. Los niños también están muy sanos, igual que yo. *(Se levanta de repente, palmoteando.)* ¡Dios mío! ¡Cristina, es una delicia vivir y ser feliz!... Pero ¡qué tonta!... No hago más que hablar de mis cosas. *(Se sienta en un taburete junto a Cristina, acodándose en sus propias rodillas.)* ¡No te enfades conmigo!... Dime, ¿es verdad que no querías a tu esposo? Entonces, ¿por qué te casaste con él?

SEÑORA LINDE. En ese tiempo aún vivía mi madre; pero estaba enferma e inválida. Para colmo, debía yo sostener a mis dos hermanitos. Por tanto, no juzgué oportuno rechazar la oferta.

NORA. Puede que tuvieses razón. Luego, ¿era rico?

SEÑORA LINDE. Sí, creo que tenía buena posición. Pero sus negocios eran inseguros, ¿sabes? Cuando murió, se vino todo abajo y no quedó nada.

NORA. ¿Y qué hiciste?

SEÑORA LINDE. Tuve que ingeniármelas con una tiendecita, con un modesto colegio y con lo que pude encontrar. Los tres últimos años han sido para mí como un largo día de trabajo sin tregua. Pero se acabó todo, Nora. Mi pobre madre no me necesita ya, y los chicos, tampoco; tienen sus empleos y pueden mantenerse por sí mismos muy bien.

NORA. ¡Qué alivio debes de sentir!

SEÑORA LINDE. No, Nora; lo que siento es un vacío inmenso. ¡No tener a nadie a quien consagrarse!... *(Se levanta, intranquila.)* Por eso no podía aguantar en aquel rincón. Aquí debe de ser más fácil encontrar en qué ocuparse y distraer los pensamientos. Si tuviera la suerte de conseguir un empleo; en una oficina, por ejemplo...

NORA. Pero, Cristina, ¡es tan fatigoso, y tú pareces ya tan cansada! Sería mejor para ti que fueses a un balneario.

SEÑORA LINDE. *(Acercándose a la ventana.)* Yo no tengo ningún padre que me pague los gastos, Nora.

NORA. *(Se levanta.)* ¡Mujer, no lo tomes a mal!

SEÑORA LINDE. *(Vuelve hacia ella.)* No, Nora, todo lo contrario. Eres tú la que no debe enojarse conmigo. Lo peor de una situación como la mía es que se vuelve una tan agria... No se tiene a nadie por quien trabajar, y sin embargo, se ve una obligada a valerse de todos. Hay que vivir, y eso nos hace egoístas... No querrás creerme, pero cuando me has contado el cambio de posición de ustedes, me alegraba más por mí que por ti.

NORA. ¡Cómo!... ¡Ah!, sí... comprendo; querrás decir que quizá Torvaldo pueda hacer algo por ti.

SEÑORA LINDE. Sí, eso he pensado.

NORA. Y lo hará. Déjalo en mis manos. ¡Ya verás qué bien voy a prepararlo! Buscaré algo agradable para predisponerlo. ¡Tengo tantas ganas de serte útil!

SEÑORA LINDE. Eres muy buena al tomarte ese interés por mí, Nora. Doblemente buena, pues desconoces los sinsabores y las amarguras de la vida.

NORA. ¿Yo?... ¿Que no conozco?...

SEÑORA LINDE. *(Sonriendo.)* Sí, mujer... Bordar un poco y labores por el estilo... Eres una niña, Nora.

NORA. *(Con un gesto de orgullo lastimado.)* No debías decirlo en ese tono de superioridad.

SEÑORA LINDE. ¿Por qué?

NORA. Eres lo mismo que los demás. Todos están convencidos de que no sirvo para nada serio...

SEÑORA LINDE. ¡Vamos, Nora!

NORA. ...de que no he pasado por dificultades en este mundo.

SEÑORA LINDE. Querida Nora, acabas de contarme todos tus contratiempos...

NORA. ¡Bah!..., eso son pequeñeces. *(Baja la voz.)* No te he contado lo principal.

SEÑORA LINDE. ¿Lo principal?... ¿Qué quieres decir?

NORA. Me crees demasiado insignificante, Cristina, y no debieras hacerlo. Te sientes orgullosa de haber trabajado tanto por tu madre.

SEÑORA LINDE. Yo no creo insignificante a nadie. Pero, eso sí, lo confieso..., me siento orgullosa y satisfecha de haber conseguido que fuesen tranquilos, hasta cierto punto, los últimos días de mi madre.

NORA. Y también te sientes orgullosa pensando en lo que has hecho por tus hermanos.

SEÑORA LINDE. Creo que estoy en mi derecho.

NORA. Lo mismo creo yo. Pues ahora, Cristina, voy a decirte algo. Yo también tengo de qué sentirme orgullosa y satisfecha.

SEÑORA LINDE. No lo dudo. Pero ¿de qué se trata?

NORA. Habla más bajo, no te vaya a oír Torvaldo. Por nada del mundo conviene que él... No debe saberlo nadie más que tú.

SEÑORA LINDE. Pero, criatura, ¿qué es?

NORA. Acércate aquí. *(La hace sentarse a su lado, en el sofá.)* Pues verás... También tengo de qué estar orgullosa y satisfecha. Fui yo quien salvó la vida a Torvaldo.

SEÑORA LINDE. ¿Tú?... ¿Que tú lo salvaste?...

NORA. Ya te he contado lo del viaje a Italia. Torvaldo no viviría si no hubiera ido allá...

SEÑORA LINDE. Sí, porque tu padre te dio el dinero necesario...

NORA. *(Sonriendo.)* Sí, eso es lo que creen Torvaldo y todo el mundo; pero...

SEÑORA LINDE. Pero... ¿qué?

NORA. Papá no nos dio nada. Fui yo la que buscó el dinero.

SEÑORA LINDE. ¿Tú? ¿Una suma tan grande?

NORA. Cuatro mil ochocientas coronas. ¿Qué te parece?

SEÑORA LINDE. ¿Y cómo te las arreglaste? ¿Te sacaste la lotería?

NORA. *(Desdeñosamente.)* ¡La lotería! *(Hace un gesto despectivo.)* De ser así, ¿qué mérito habría tenido?

SEÑORA LINDE. En ese caso, ¿de dónde las sacaste?

NORA. *(Canturrea y sonríe enigmáticamente.)* ¡Ah!... ¡Tra-la... lalá!

SEÑORA LINDE. No creo que lo consiguieras prestado.

NORA. ¡Ah!, ¿no?... ¿Y por qué no?

SEÑORA LINDE. Porque una mujer casada no puede pedir prestado sin el consentimiento de su marido.

NORA. *(Con un ademán de orgullo.)* ¡Ah! ¿Y cuando se es una mujer casada que tiene algún sentido de los negocios..., una mujer que sabe administrarse con un poco de inteligencia?...

SEÑORA LINDE. Nora, no me explico lo que quieres decir...

NORA. Ni es necesario. Nadie afirma que haya pedido el dinero prestado. Lo he podido adquirir de otra manera. *(Dejándose caer en el sofá.)* He podido recibirlo de algún admirador. Teniendo un aspecto tan atractivo como el mío...

SEÑORA LINDE. ¡Eres una loca!

NORA. Ya no puedes negar que sientes una curiosidad enorme, Cristina.

SEÑORA LINDE. Óyeme, Nora: ¿no habrás obrado irreflexivamente?

NORA. *(Irguiéndose.)* ¿Es irreflexivo salvar la vida del marido?

SEÑORA LINDE. Lo que estimo irreflexivo es hacerlo sin que lo supiera él...

NORA. Pero si lo que importaba era que no supiese nada. ¡Vamos!, ¿no comprendes?... No debía enterarse de la gravedad de su estado. Fue a mí a quien vinieron los médicos diciéndome que peligraba su vida, y que solamente una estancia en el Mediodía podría salvarlo. ¡No creas que al principio no intenté hablarle con diplomacia! Le hice ver lo delicioso que sería para mí viajar por el extranjero, ni más ni menos que otras muchas mujeres; con súplicas y lloros, le dije que debía tener en cuenta las circunstancias en que me encontraba, que tenía que ser comprensivo y ceder... Entonces fue cuando insinué que podía pedir un préstamo. Pero al oírme casi se puso bravo, Cristina. Me replicó que era una insensata, y que su deber de esposo le dictaba no someterse a mis caprichos, como él los llamaba. «Bueno, bueno —pensé—; de todos modos, hay que salvarte.» Y al final busqué otra salida...

SEÑORA LINDE. ¿Y por tu padre no se enteró tu marido de que el dinero no procedía de él?

NORA. No, nunca. Papá murió por esa misma fecha. Yo había pensado hacerlo cómplice en el asunto y rogarle que no revelara nada. Pero ¡estaba tan enfermo!... Por desgracia, no hubo necesidad.

SEÑORA LINDE. ¿Y después?... ¿Nunca te has confiado a tu marido?

NORA. ¡No lo quiera Dios! ¿Cómo se te ocurre tal idea? ¡A él, tan severo para estas cosas! Por lo demás, a Torvaldo, por su amor propio de hombre, se le haría muy penoso y humillante saber que me debía algo. Se habrían echado a perder todas nuestras relaciones, y la felicidad de nuestro hogar terminaría para siempre.

SEÑORA LINDE. ¿No piensas decírselo jamás?

NORA. *(Pensativa, inicia una sonrisa.)* Sí, acaso alguna vez..., después de muchos años, cuando no sea yo tan bonita como ahora. ¡No te rías! Quiero decir que cuando ya no guste tanto a Torvaldo, cuando ya no se divierta viéndome bailar y disfrazarme y declamar... Entonces sería bueno tener un cable al que asirme... *(Interrumpiéndose.)* ¡Bah, qué tonterías! Ese día no llegará nunca. Vamos a ver, Cristina, ¿qué opinas de mi gran secreto? ¿No piensas que yo también sirvo para algo?... Puedes creer que el asunto me ha ocasionado serias preocupaciones. No ha sido nada fácil para mí cumplir mis compromisos a tiempo. Porque te advierto que en este mundo de los negocios hay lo que se llaman vencimientos y lo que se llama amortización. ¡Y todo eso es tan difícil de solucionar! De manera que he tenido que ahorrar un poco de aquí y otro poco de allí..., de donde he podido, ¿sabes? Del dinero de la casa no podía economizar mucho, porque Torvaldo tenía que comer bien. Tampoco podía dejar que los niños fuesen mal vestidos, porque todo lo que me daba para ellos me parecía intocable, como cosa suya. ¡Angelitos míos!

SEÑORA LINDE. ¡Pobre Nora! Por tanto, tus necesidades personales han debido de pagar las consecuencias.

NORA. Efectivamente. Era algo que me correspondía. Cada vez que Torvaldo me daba dinero para mis gastos, sólo empleaba la mitad. Siempre compraba de lo más barato y corriente. Era una ventaja que todo me sentara maravillosamente bien; de modo que Torvaldo nunca ha notado nada. Pero muchas veces se me hacía demasiado terrible, Cristina. ¡Es tan agradable ir bien vestida! ¿Verdad?

SEÑORA LINDE. ¡Mucho!, ya lo creo.

NORA. Asimismo he tenido otras fuentes de ingresos. El invierno pasado pude encontrar un trabajo de copias. Me encerraba y escribía todas las noches hasta muy tarde. ¡Oh!, con frecuencia me sentía muy cansada. A pesar de todo, era un placer trabajar y ganar dinero. Parecía casi como si fuese un hombre.

SEÑORA LINDE. ¿Y cuánto has podido devolver así?

NORA. No sabría decírtelo en detalle. Es muy difícil llevar cuentas en esta clase de negocios. Sólo sé que he pagado cuanto me ha sido posible reunir. Muchas veces no se me ocurría ya qué hacer. *(Sonríe.)* Entonces me quedaba aquí sentada, imaginando que un señor viejo y rico se había enamorado de mí...

SEÑORA LINDE. ¡Cómo!... ¿Quién?

NORA. ...que se había muerto, y que, al abrir su testamento, se leía en letras muy grandes: «Todo mi dinero será pagado al contado inmediatamente a la encantadora señora Nora Helmer».

SEÑORA LINDE. Pero, Nora, ¿qué dices?... ¿De quién estás hablando?

NORA. ¿No te das cuenta?... No existe tal señor; es una cosa que me imaginaba siempre cuando no sabía qué hacer para encontrar dinero. Pero ¡qué más da! Por mí, ese dichoso señor viejo puede estar donde le plazca: no me importan nada él ni su testamento; ya se acabaron las preocupaciones. *(Irguiéndose de repente.)* ¡Dios mío! ¡Qué gusto poder pensarlo, Cristina! ¡Sin preocupaciones! ¡Poder sentirse tranquila, absolutamente tranquila; jugar y alborotar con los niños; tener la casa preciosa, todo como le gusta a Torvaldo! ¡Y pensar que ya se acerca la primavera con su cielo azul! Para entonces quizás podamos viajar un poco, volver a ver el mar. ¡De veras es magnífico vivir y ser feliz! *(Se oye la campanilla en la antesala.)*

SEÑORA LINDE. *(Levantándose.)* Llaman; será mejor que me vaya.

NORA. No, quédate. No espero a nadie; seguro es para Torvaldo...

ELENA. *(Desde la puerta.)* Perdón, señora; hay un caballero que desea hablar con el señor abogado...

NORA. Con el señor director, querrás decir...

ELENA. Sí, señora, con el señor director. Pero como el señor doctor está ahí dentro... no sabía si...

NORA. ¿Quién es ese caballero?

KROGSTAD. *(En la antesala.)* Soy yo, señora. *(La Señora Linde, turbada, se vuelve, estremeciéndose, hacia la ventana.)*

NORA. *(Avanza un paso hacia él, intrigada, y dice a media voz:)* ¿Usted? ¿Qué pasa? ¿Qué quiere hablar con mi marido?

KROGSTAD. Nada; asuntos bancarios... Tengo un modesto empleo en el Banco, y he oído decir que su esposo ha sido nombrado director...

NORA. Pero ¿es que...?

KROGSTAD. Negocios a secas, señora, y nada más.

NORA. Pues haga el favor de entrar por la puerta del despacho. *(Saluda con indiferencia y cierra la puerta de la antesala; luego se acerca a ver el fuego de la estufa.)*

SEÑORA LINDE. Nora... ¿quién es ese hombre?

NORA. Es un tal Krogstad..., procurador.

SEÑORA LINDE. ¡Ah!, ¿es él?

NORA. ¿Lo conoces?

SEÑORA LINDE. Lo conocí... hace años. Fue pasante de procurador de nuestro distrito.

NORA. ¡Ah, sí! Ya recuerdo.

SEÑORA LINDE. ¡Qué cambiado está!

NORA. Creo que ha sido desdichado en su matrimonio.

SEÑORA LINDE. Y ahora es viudo, ¿no?

NORA. Sí, con una caterva de hijos. ¡Ya se anima el fuego! *(Cierra la portezuela de la estufa y retira un poco la mecedora.)*

SEÑORA LINDE. Dicen que se dedica a toda clase de negocios.

NORA. ¡Ah! ¿Sí?... Puede ser; no sé... Pero no pensemos en negocios; es una cosa tan aburrida... *(El doctor Rank sale del despacho de Helmer.)*

DOCTOR RANK. *(Todavía desde la puerta del despacho.)* No, no; no quiero estorbar. Prefiero charlar un rato con tu mujer. *(Cierra la puerta y repara en la Señora Linde.)* ¡Ah! perdón. Por lo visto, también estorbo aquí.

NORA. No, no, de ninguna manera. *(Presentando.)* El doctor Rank. La señora Linde.

DOCTOR RANK. ¡Ah!, sí. Es un nombre que se oye mucho en esta casa. Creo que he pasado delante de usted al subir la escalera.

SEÑORA LINDE. Sí; yo subo muy despacio, porque me canso.

DOCTOR RANK. Algo de debilidad, al parecer.

SEÑORA LINDE. Sólo fatiga.

DOCTOR RANK. ¿Nada más? Y, probablemente, viene usted a descansar acá yendo de fiesta en fiesta...

SEÑORA LINDE. He venido a buscar trabajo.

DOCTOR RANK. ¿Será ese un remedio eficaz contra el exceso de fatiga?

SEÑORA LINDE. ¡Hay que vivir, doctor!

DOCTOR RANK. Sí, eso opina todo el mundo: que es necesario vivir.

NORA. ¡Vamos, vamos, doctor! También tendrá usted ganas de vivir.

DOCTOR RANK. ¡Ya lo creo! A pesar de lo mal que estoy, prefiero seguir sufriendo durante el mayor tiempo posible. Todos mis pacientes piensan igual. Y lo mismo pasa con los que padecen achaques morales. En este momento acabo de dejar a uno de esos enfermos morales en el despacho de Helmer...

SEÑORA LINDE. *(Con voz apagada.)* ¡Ah!

NORA. ¿A quién se refiere usted?

DOCTOR RANK. ¡Oh!, es un tal Krogstad, procurador; usted no lo conoce. Tiene el carácter podrido hasta las raíces... Pues, a su vez, ha osado decir que hay que vivir, como si supiera una cosa de máxima importancia.

NORA. ¿Sí? Entonces, ¿de qué quería hablar con Torvaldo?

DOCTOR RANK. No lo sé a ciencia cierta. Sólo he oído que se trataba del Banco.

NORA. Yo ignoraba que Krogs... que el procurador tuviera que ver con el Banco.

DOCTOR RANK. Sí; le han dado una especie de empleo. *(A la Señora Linde.)* No estoy al tanto de si por allá, entre ustedes, hay esa clase de hombres que buscan afanosos podredumbres morales, y en cuanto tropiezan con un individuo que padece esta clase de enfermedad, le adjudican una buena plaza para tenerlo en observación. Mientras, que se queden fuera los sanos.

SEÑORA LINDE. No obstante, los enfermos son, en realidad, los más necesitados.

DOCTOR RANK. *(Encogiéndose de hombros.)* Es ese punto de vista el que convierte la sociedad en un hospital.

NORA. *(Como abstraída en sus pensamientos y palmoteando.)* ¡Ja, ja, ja!

DOCTOR RANK. ¿De qué se ríe usted? ¿Sabe acaso qué es la sociedad?

NORA. ¡Qué me importa la dichosa sociedad!... Me reía de algo muy distinto... algo verdaderamente gracioso... Dígame, doctor... Todos los que están empleados en el Banco dependerán desde ahora de Torvaldo, ¿no es así?

DOCTOR RANK. ¿Y eso la divierte a usted tanto?

NORA. *(Sonríe y canturrea.)* No me haga caso. *(Paseándose.)* Sí que es verdaderamente gracioso pensar que nosotros..., que Torvaldo haya ganado tanta autoridad sobre tanta gente... *(Saca del bolsillo un cucurucho de almendras.)* ¿Una almendrita, doctor?

DOCTOR RANK. ¡Cómo! ¿Almendritas? Tenía entendido que eso era mercancía prohibida aquí.

NORA. Sí; pero estas me las ha dado Cristina.

SEÑORA LINDE. ¿Qué? ¿Yo?...

NORA. ¡Vaya, vaya, no te asustes! ¿Cómo ibas a saber tú que Torvaldo me había prohibido comer almendras? Es porque le da miedo que se me estropeen los dientes, ¿comprendes? Pero por una vez, no hay cuidado. ¿Verdad, doctor? Tenga. *(Le mete una almendra en la boca.)* Y tú, otra, Cristina. Yo también tomaré una, sólo una pequeñita... lo más, dos. *(Paseándose.)* Ahora sí que me siento feliz. En este momento hay una sola cosa que tengo unas ganas tremendas de hacer.

DOCTOR RANK. ¡Ah!, ¿sí? ¿Y qué es?

NORA. Es algo que siento unos deseos irresistibles de decir delante de Torvaldo.

DOCTOR RANK. ¿Y por qué no lo dice?

NORA. No me atrevo... Es una cosa muy fea.

SEÑORA LINDE. ¿Fea?

DOCTOR RANK. En ese caso, no le aconsejo que lo diga. Aunque, a nosotros, bien podía... ¿Qué es lo que tiene usted tantas ganas de decir delante de Helmer?

NORA. Tengo ganas enormes de gritar: ¡Demonios coronados!

DOCTOR RANK. Pero ¿está usted loca?

SEÑORA LINDE. ¡Por Dios, Nora!

DOCTOR RANK. Ya puede usted decirlo. Aquí viene.

NORA. *(Que esconde el cucurucho.)* ¡Chist! *(Helmer sale del despacho con el sombrero en la mano y el abrigo colgando del brazo. Nora va hacia él.)* ¿Qué, por fin has podido quitártelo de encima?

HELMER. Sí; acaba de irse.

NORA. Te voy a presentar; es Cristina, que ha llegado de fuera.

HELMER. ¿Cristina?... Perdón; pero no sé...

NORA. La señora Linde, Torvaldo; Cristina Linde...

HELMER. ¡Ah, sí! Una amiga de la infancia, supongo.

SEÑORA LINDE. Sí; nos conocimos en otro tiempo.

NORA. Y fíjate: ha hecho este viaje para poder hablar contigo.

HELMER. ¿Qué oigo?

SEÑORA LINDE. Vamos... es decir...

NORA. ¿Sabes? Cristina entiende bastante de trabajos de oficina, y ahora tiene mucho interés en ponerse a las órdenes de un hombre competente, para adquirir más conocimientos...

HELMER. Lo estimo muy acertado, señora.

NORA. Cuando se enteró de que te habían nombrado director del Banco... —llegó un telegrama, ¿comprendes?—, se apresuró a venir aquí. ¿Verdad, Torvaldo, que harás algo por Cristina para complacerme, eh?

HELMER. No parece del todo imposible. ¿Es usted viuda quizá?...

SEÑORA LINDE. Sí.

HELMER. ¿Y conoce usted estos trabajos de oficina?

SEÑORA LINDE. Bastante.

HELMER. ¡Ah!, entonces es muy probable que pueda encontrarle una colocación...

NORA. *(Batiendo palmas.)* ¿Lo ves, lo ves?...

HELMER. Llega usted en un momento oportuno, señora.

SEÑORA LINDE. ¡Oh! ¿cómo podría agradecérselo?...

HELMER. No se preocupe por eso. *(Poniéndose el abrigo.)* Pero hoy tendrá usted que disculparme...

DOCTOR RANK. Aguarda; voy contigo. *(Busca su abrigo de pieles y lo calienta ante la estufa.)*

NORA. No tardes mucho, Torvaldo.

HELMER. Una hora, nada más.

NORA. ¿Te vas tú también, Cristina?

SEÑORA LINDE. *(Mientras se pone el abrigo.)* Sí; ahora tengo que buscar habitación.

HELMER. Pues bajaremos a la calle juntos.

NORA. *(Ayudándola.)* ¡Qué lástima que vivamos tan apretados! Pero nos es completamente imposible...

SEÑORA LINDE. ¿En qué estás pensando, mujer? Adiós, Nora, y gracias por todo.

NORA. Adiós, o hasta luego. Porque vendrás esta noche, por supuesto. Y usted también, doctor. ¡Cómo! ¿Si se siente usted con bríos?... ¡No faltaba más! Abríguese. *(Pasan, charlando, a la antesala. Se oyen voces de niños fuera, en la escalera.)* ¡Ya están aquí, ya están aquí! *(Corre a abrir. La niñera Ana María viene con los niños.)* ¡Entren, entren! *(Se agacha para besarlos.)* ¡Angelitos míos!... ¿Ves, Cristina? ¿Verdad que son preciosos?

DOCTOR RANK. No se queden ahí hablando, que hay corriente.

HELMER. Venga, señora Linde. Permanecer aquí ahora es algo que sólo puede resistirlo una madre.

El doctor Rank, Helmer y la señora Linde bajan la escalera. Ana María entra con los niños en el salón, seguida de Nora, que cierra la puerta.

NORA. ¡Tienen ustedes un aspecto estupendo! ¡Vaya unos colores que traen! Parecen manzanas y rosas. *(Los niños le hablan todos a la vez hasta el final del parlamento.)* ¿Se han divertido mucho? Así me gusta. ¡Ah! ¿sí?... ¿Conque has llevado a Emmy y a Bob en el trineo?... ¡Qué bárbaro! ¿A los dos juntos? ¡Sí que eres valiente, Ivar!... ¡Oh! déjame tenerla un poquito, Ana María. ¡Muñequita mía! *(Toma a la pequeña en brazos y baila con ella.)* Sí, sí, Bob, mamá bailará contigo también. ¡Cómo! ¿Se han tirado bolas de nieve? ¡Qué pena no haber estado con ustedes! No, deja, Ana María; yo misma les quitaré los abrigos. Sí, mujer, me encanta hacerlo. Entre tanto, pasa ahí; tienes cara de frío. Hay café caliente esperándote. *(Ana María pasa a la habitación de la izquierda. Nora quita los abrigos a los niños, desparramándolos por la escena. Los niños siguen hablando todos a la vez.)* ¿Sí?... ¿Dicen que los ha seguido un perro grande, corriendo detrás de ustedes? Pero no los mordería, ¿eh?... No; los perros no muerden a los muñequitos encantadores como ustedes. ¡Ivar, no toques los paquetes! ¡Si tú supieras lo que hay dentro!... Una cosa horrenda... ¡Anda, vamos a jugar! Al escondite... ¿quieren?... Bob se esconderá primero... ¿O prefieren que me esconda yo?...

Se ponen a jugar todos, riendo y alborotando, en el salón y en la biblioteca de la derecha. Por fin, Nora se esconde debajo de la mesa. Los niños irrumpen precipitadamente, sin encontrarla; pero, al oír su risita contenida, se lanzan todos hacia la mesa, levantando el tapete, y la descubren. Ruidosa alegría. Nora sale a gatas como para asustarlos. Mientras, ha llamado alguien a la puerta, sin que nadie lo note. Se abre la puerta un poco, y aparece Krogstad. Se detiene un momento en tanto que el juego continúa.

KROGSTAD. Usted perdone, señora...

NORA. *(Emite un grito ahogado, levantándose a medias.)* ¡Ah! ¿Qué desea usted?...

KROGSTAD. Dispénseme. Como la puerta estaba abierta... Se habrán olvidado de cerrarla.

NORA. *(Levantándose.)* No está en casa mi esposo, señor Krogstad.

KROGSTAD. Ya lo sé.

NORA. ¿A qué viene usted aquí, entonces?

KROGSTAD. A hablar dos palabras con usted.

NORA. ¿Conmigo?... *(A los niños, en voz baja.)* Márchense con Ana María. ¿Cómo? No, no, el hombre no va hacer nada malo a mamá. En cuanto se haya ido, volveremos a jugar. *(Conduce a los niños a la habitación de la izquierda y cierra la puerta tras ellos. Con inquietud, intrigada.)* ¿Quería usted hablarme?...

KROGSTAD. Sí, eso quiero.

NORA. ¿Hoy?... Pero si aún no estamos a primeros de mes...

KROGSTAD. No, hoy es Nochebuena; y de usted depende cómo va a pasar estas Navidades...

NORA. Tendrá que comprend... Hoy no puedo de ninguna manera...

KROGSTAD. Por ahora no vamos a hablar de eso. Se trata de otra cosa. Me figuro que podrá dedicarme un momento.

NORA. ¡Oh! sí, claro, por supuesto... aunque...

KROGSTAD. Muy bien. Estaba yo sentado en el restaurante Olsen, cuando he visto pasar a su esposo...

NORA. Sí, sí.

KROGSTAD. ...con una señora.

NORA. ¿Y qué...?

KROGSTAD. ¿Puedo hacerle una pregunta? ¿No era la señora Linde?

NORA. Sí.

KROGSTAD. ¿Acaba de llegar a la ciudad?

NORA. Sí, ha llegado hoy.

KROGSTAD. ¿Y es amiga íntima de usted?

NORA. Sí; pero no veo qué relación...

KROGSTAD. Yo también la conocía.

NORA. Lo sé.

KROGSTAD. ¿De veras? Entonces, estará usted enterada. Me lo suponía. Supongo que podré preguntarle con toda franqueza: ¿es verdad que la señora Linde va a tener un empleo en el Banco?

NORA. Señor Krogstad, ¿cómo se permite preguntarme eso usted, que es un subordinado de mi esposo? Pero, ya que me lo pregunta, voy a responderle. Es verdad; la señora Linde tendrá una colocación, y además, soy yo quien ha influido para que se la den. Ya lo sabe usted, señor Krogstad.

KROGSTAD. He acertado.

NORA. *(Paseándose.)* Como puede suponer, una tiene algo de influencia. No crea que ser mujer no quiere decir que... Cuando se es un subordinado, señor Krogstad, hay que obrar con un poco de tacto para no mortificar a una persona que...

KROGSTAD. ¿...que tiene influencia?

NORA. Eso es.

KROGSTAD. *(Cambiando de actitud.)* Señora, ¿sería usted tan amable de emplear su influencia en mi favor?

NORA. ¡Cómo! ¿Qué se propone?

KROGSTAD. ¿Sería usted tan amable que se preocupara de que pudiera yo conservar mi empleo en el Banco?

NORA. ¿Qué significa esto?... ¿Quién ha pensado en quitarle su empleo?

KROGSTAD. ¡Oh!, no hay para qué fingir. Comprendo muy bien que a su amiga no le guste tropezarse conmigo, y ahora, además, comprendo a quién debo agradecer mi cesantía.

NORA. Le aseguro que...

KROGSTAD. Bueno, bueno. En una palabra, todavía está usted a tiempo de impedirlo.

NORA. Pero, señor Krogstad, si no tengo ninguna influencia...

KROGSTAD. ¡Ah!, ¿no? Pues me parece que acaba usted de afirmar...

NORA. Sin duda, no he querido decir que... ¿Cómo puede usted creer que yo tenga tanta influencia con mi esposo?

KROGSTAD. ¡Oh!, conozco a su esposo desde que éramos estudiantes. Y dudo mucho de que el señor director sea más enérgico que otros maridos.

NORA. Si habla usted despectivamente de mi esposo, puede ir tomando la puerta.

KROGSTAD. Es usted valiente, señora.

NORA. Ya no le tengo miedo. Después de Año Nuevo me veré totalmente libre.

KROGSTAD. *(Reprimiéndose.)* Óigame, señora. Si hay que hacerlo, lucharé con todas las armas por mantener mi puesto en el Banco.

NORA. Es de suponer.

KROGSTAD. No sólo por los ingresos, que es lo que menos me importa. Por otra cosa que... Bien; se lo diré. Usted sabrá, indudablemente, como todo el mundo, que hace unos cuantos años cometí cierta imprudencia...

NORA. Sí; creo que he oído hablar algo de eso.

KROGSTAD. El asunto no llegó a los tribunales, aunque enseguida se me cerraron todos los caminos. Y entonces emprendí esa clase de negocios que usted no ignora. A algo tenía que agarrarme, y me atrevo a decir que no he sido peor que otros. Pero hoy necesito salir de todo eso. Mis hijos ya van siendo mayores, y se impone que recobre mi reputación. El empleo del Banco representaba para mí el primer escalón, y ahora resulta que su esposo quiere arrojarme de él para hacerme caer nuevamente en el fango.

NORA. Pero, por amor de Dios, señor Krogstad; no está en mis manos ayudarlo.

KROGSTAD. Porque no quiere usted; pero cuento con medios para obligarla.

NORA. ¿Será usted capaz de decir a mi esposo que le debo dinero?

KROGSTAD. ¿Y si lo hiciera?

NORA. Sería una infamia por su parte. *(Con voz rota.)* ¡Ese secreto que es mi alegría y mi orgullo... saberlo él de una manera tan indigna y vergonzosa... saberlo por usted! Me expondría a los mayores disgustos...

KROGSTAD. ¿Sólo a disgustos?...

NORA. *(Con vehemencia.)* Pero hágalo, si quiere; será para usted peor... Así se dará cuenta mi esposo de lo despreciable que es usted, y entonces sí que se quedará sin su empleo.

KROGSTAD. Acabo de preguntar si no son más que disgustos familiares lo que usted teme.

NORA. No cabe duda de que, si mi esposo se entera, pagará en el acto el resto de la deuda; y así acabaremos con usted definitivamente.

KROGSTAD. *(Avanza un paso hacia ella.)* Oiga, señora..., ¿es que no tiene usted memoria, o es que no entiende de negocios? Por lo que veo, tendré que ponerla al corriente sobre este particular.

NORA. ¡Cómo!

KROGSTAD. Cuando estaba enfermo su esposo, vino usted a pedirme prestadas cuatro mil ochocientas coronas...

NORA. No conocía a nadie más...

KROGSTAD. Yo prometí conseguirle ese dinero.

NORA. Y me lo consiguió.

KROGSTAD. Pero bajo ciertas condiciones. Estaba usted entonces tan preocupada con la enfermedad de su esposo, y tan ansiosa de encontrar dinero para el viaje, que creo que no pensó bien en los detalles. Y no me parece inoportuno recordárselo. Le prometí proporcionarle el dinero, contra un recibo que yo mismo había redactado.

NORA. Sí, y lo firmé.

KROGSTAD. De acuerdo. Pero a continuación, había yo agregado algunas líneas, por las que su padre se hacía responsable de la deuda. Esas líneas debía firmarlas él mismo.

NORA. ¿Que debía...? Las firmó.

KROGSTAD. Dejé la fecha en blanco, para que su padre la pusiera cuando firmase el documento. ¿Se acuerda usted?

NORA. Sí, creo que sí.

KROGSTAD. Y después le di a usted el recibo para que lo enviara por correo a su padre. ¿No fue así?

NORA. Así fue.

KROGSTAD. Como es natural, lo hizo usted enseguida, porque, pasados unos cinco o seis días, me devolvió el mismo documento con la firma de su padre. Y entonces cobró usted el dinero.

NORA. Sí, está bien. ¿Y no he ido pagando con regularidad?

KROGSTAD. Poco más o menos. Pero, volviendo a lo de antes... Aquellos eran tiempos bastantes difíciles para usted, señora...

NORA. Lo eran, sí.

KROGSTAD. Y su padre estaba muy enfermo, creo.

NORA. Muriéndose.

KROGSTAD. ¿Y murió poco después?

NORA. Sí.

KROGSTAD. Dígame, señora, ¿recuerda usted, por casualidad, la fecha de la muerte de su padre?

NORA. Papá murió el veintinueve de septiembre.

KROGSTAD. Exactamente. Lo sabía. Por eso mismo *(saca un papel)*, no acabo de explicarme cierta particularidad...

NORA. ¿Qué particularidad? No caigo...

KROGSTAD. Es sorprendente, señora, que su padre firmara el documento tres días después de su muerte. *(Nora guarda silencio.)* ¿Puede explicármelo usted? *(Nora permanece callada.)* También es singular que la fecha dos de octubre y el año, no estén escritos por la mano de su padre, sino por otra mano que creo reconocer... Bueno; eso es explicable. Puede que su padre se olvidara de fechar la firma, y que lo haya hecho cualquiera antes de saber su muerte. En eso no hay nada malo. Lo que importa es la firma. Me figuro que será auténtica, ¿verdad? Porque supongo que sería su propio padre quien puso su nombre.

NORA. *(Tras una corta pausa, levanta desdeñosamente la cabeza y lo mira con resolución.)* No, no fue él. Fui yo misma quien escribió el nombre de papá.

KROGSTAD. Oiga, señora, ¿se da usted cuenta de lo grave que es esa confesión?

NORA. ¿Por qué, si pronto va usted a recibir su dinero?

KROGSTAD. ¿Me permite otra pregunta? ¿Por qué razón no envió usted el papel a su padre?

NORA. Era imposible: ¡papá estaba tan enfermo! Si le hubiera pedido la firma, también habría tenido que decirle en qué se invertiría el dinero. ¿Y cómo iba a decirle, tan enfermo como estaba, que peligraba la vida de mi esposo? Era imposible.

KROGSTAD. En tal caso, lo mejor para usted habría sido prescindir de ese viaje al extranjero.

NORA. Eso era imposible. Ese viaje iba a traer la salvación de mi esposo, y no podía yo desistir de él.

KROGSTAD. ¿Y no se le ocurrió a usted que estaba cometiendo una estafa en contra mía?

NORA. No podía pararme a pensar en esas cosas. Usted no me preocupaba en lo absoluto. Se me hacía odioso por la frialdad de los razonamientos que oponía a mis deseos, aun sabiendo el peligro en que estaba mi marido.

KROGSTAD. Señora, con toda evidencia desconoce usted la gravedad de lo que ha hecho. Sólo le diré que lo que hice yo cuando perdí toda mi posición social no fue ni más ni menos que eso.

NORA. ¿Usted? ¿Quiere convencerme de que ha hecho algún sacrificio por salvar la vida de su mujer?

KROGSTAD. A las leyes no les importan los motivos.

NORA. Pues son unas leyes muy malas.

KROGSTAD. Malas o no... si yo presento este documento a las autoridades, será usted condenada por esas leyes.

NORA. Me resisto a creerlo. ¿Acaso una hija no tiene derecho a evitar a su anciano padre moribundo, inquietudes y disgustos? ¿Acaso una esposa no tiene derecho a salvar la vida de su esposo? Yo no conozco las leyes a fondo; pero estoy segura de que en algún sitio se dice que esas cosas están permitidas. ¿Y usted, procurador, no se ha enterado de eso? Debe de ser bastante mal jurista, señor Krogstad.

KROGSTAD. Posiblemente. Pero en negocios como los que median entre usted y yo, espero que concederá que soy bastante entendido. Bien. Haga lo que quiera, aunque conste que, si me hundo por segunda vez, irá usted a hacerme compañía. *(Saluda y sale.)*

NORA. *(Se queda largo rato pensativa. Levantando la cabeza.)* ¡Bah, querrá asustarme! Pero no soy tan tonta. *(Empieza a ordenar la ropa de los niños. Pronto lo abandona.)* Aunque... ¡No, no es posible! Si lo hice por amor...

LOS NIÑOS. *(A la puerta de la izquierda.)* ¡Mamá, se ha ido el hombre!

NORA. Sí, sí; ya lo sé. Pero no hablen más de él, ¿han oído? ¡Ni a papá!

LOS NIÑOS. No, mamá. ¿Jugamos ya?

NORA. No, no; ahora no.

LOS NIÑOS. ¡Oh, mamá!, nos lo habías prometido.

NORA. Sí; pero ahora no puedo: tengo mucho que hacer. Anden, márchense, hijos míos. *(Empujándolos cariñosamente, cierra la puerta tras ellos. Se sienta en el sofá, toma su labor y da algunas puntadas, luego lo interrumpe.)* ¡No! *(Deja caer su labor, va a la puerta de la antesala y llama.)* ¡Elena! ¡Tráeme el árbol! *(Se acerca a la mesa de la izquierda, abre el cajón y se queda suspensa.)* ¡No; es completamente imposible!

ELENA. *(Con el árbol.)* ¿Donde lo dejo, señora?

NORA. Aquí en el medio.

ELENA. ¿Hay que traer algo más?

NORA. No, gracias; tengo lo que necesito. *(Elena sale después de dejar el árbol. Nora empieza a arreglarlo.)* Hacen falta velas y flores... ¡Qué persona tan repugnante!... ¡Es absurdo, absurdo! No pasará nada. El árbol va a quedar precioso... Haré todo lo que quieras, Torvaldo... cantaré para ti, bailaré para ti... *(Entra Helmer con un rollo de papeles bajo el brazo.)* ¡Ah!, ¿ya estás aquí?

HELMER. Sí. ¿Ha venido alguien?

NORA. ¿Aquí? No.

HELMER. ¡Qué extraño! He visto a Krogstad salir del portal.

NORA. ¡Ah!, sí, es verdad. Krogstad ha estado un momento.

HELMER. Nora, te lo conozco en la cara; ¡a que ha venido a pedirte que me hablaras en su favor!

NORA. Sí.

HELMER. Y debías hacerlo como si fuera por tu propia iniciativa, ocultándome que había estado aquí. ¿No te lo ha pedido también?

NORA. Sí, Torvaldo; pero...

HELMER. ¡Nora, Nora! ¿Y tú has sido capaz de eso? ¡Mantener una conversación con semejante individuo, y hasta hacerle una promesa! ¡Y encima, decirme una mentira!...

NORA. ¿Una mentira?...

HELMER. ¿Pero no me has dicho que no había venido nadie? *(Amenazando con el dedo.)* No volverá a hacer eso mi pajarito cantor. Un pajarito cantor debe tener el pico limpio para gorjear sin desafinar. *(Cogiéndola por la cintura.)* Así ha de ser, ¿no? *(Soltándola.)* Y ahora, no hablemos más de eso. *(Se sienta delante de la estufa.)* ¡Qué bien se está aquí! *(Hojea sus papeles.)*

NORA. *(Ocupada en arreglar el árbol, después de una pausa.)* ¡Torvaldo!

HELMER. ¿Qué?

NORA. Estoy muy ilusionada con el baile de máscaras de pasado mañana en casa de los Stemborg.

HELMER. Y yo estoy intrigadísimo pensando en la sorpresa que me preparas.

NORA. ¡Oh, qué pesadez!

HELMER. ¿Cuál?

NORA. No se me ocurre ningún disfraz que valga la pena; todo resulta sin gracia y disparatado.

HELMER. ¿Ahora sales con esas?

NORA. *(Detrás del sillón, con los brazos apoyados en el respaldo.)* ¿Estás muy atareado, Torvaldo?

HELMER. Regular.

NORA. ¿Qué papeles son esos?

HELMER. Cosas del Banco.

NORA. ¿Ya?

HELMER. El director saliente me ha dado plenos poderes para introducir los cambios necesarios en el personal y en la organización de los negocios. Dedicaré la semana de Navidad a hacerlo. Quiero que para Año Nuevo esté en regla todo.

NORA. Entonces, ¿por eso el pobre Krogstad...?

HELMER. ¡Ejem!...

NORA. *(Sigue apoyada en el respaldo, mientras le acaricia el cabello.)* Si no estuvieras tan atareado, querría pedirte un favor muy grande.

HELMER. Vamos a ver: ¿en qué consiste?

NORA. No hay nadie con un gusto tan exquisito como tú. ¡Tengo tantos deseos de aparecer bonita en el baile de máscaras!... Torvaldo, ¿no podrías ocuparte un poco de mí, y elegirme el disfraz?

HELMER. ¡Vaya, vaya! ¿Conque la testaruda se decide a pedir ayuda, eh?

NORA. Sí, Torvaldo; si no me ayudas, no se me ocurrirá nada.

HELMER. Bien, bien; lo pensaré. Ya buscaremos algo.

NORA. ¡Qué bueno eres! *(Se dirige de nuevo al árbol.)* ¡Cómo lucen las flores encarnadas en el árbol!... Pero oye, dí: ¿es realmente tan grave lo que ha hecho Krogstad?...

HELMER. Ha falsificado firmas. ¿Te das cuenta de lo que representa eso?

NORA. ¿No puede haberlo hecho movido por la necesidad?

HELMER. Sin duda, si no ha sido movido por la irreflexión, igual que muchos otros. Pero yo no tengo tan poco corazón como para condenar sin piedad a un hombre sólo por un acto de esa índole.

NORA. ¿Verdad que no, Torvaldo?

HELMER. Muchos pueden rehabilitarse, si confiesan de plano su delito y sufren el correspondiente castigo.

NORA. ¿Castigo...?

HELMER. Sí; pero Krogstad no ha seguido ese camino. Se ha valido de trampas y artimañas, y eso es lo que lo ha arruinado moralmente.

NORA. ¿Crees que...?

HELMER. Piensa que un hombre así, con la conciencia de su falta, tiene que mentir, disimular y fingir en todas partes; tiene que enmascararse hasta en familia, delante de su mujer y de sus propios hijos. Y que mezcle en eso a sus hijos es lo peor de todo, Nora.

NORA. ¿Por qué?

HELMER. Porque semejante atmósfera de falsedad contamina irremisiblemente el hogar. Cada vez que respiran, los hijos se contagian de gérmenes malsanos.

NORA. *(Acercándose.)* ¿Estás seguro de eso?

HELMER. ¡Claro! Como abogado lo he comprobado en numerosas ocasiones. Casi todas las personas depravadas en su juventud han tenido madres embusteras.

NORA. ¿Por qué madres... precisamente?

HELMER. Por lo común son las madres; aunque, como es lógico, también los padres influyen en este sentido. Bien lo saben todos los abogados. Sin embargo, Krogstad ha estado envenenando a sus hijos año tras año en su propio hogar, con mentiras y simulaciones. Por eso lo considero moralmente arruinado. *(Tendiéndole las manos.)* Y por eso, mi querida Nora, vas a prometerme no hablar más en su favor. ¡Dame tu mano! Pero, mujer, ¿a qué esperas... qué es eso?... ¡Dámela! Así. Entonces, convenido. Te aseguro que me hubiera sido absolutamente imposible trabajar con él. Siento un verdadero malestar físico junto a esas personas.

NORA. *(Retira su mano, y se dirige al otro lado del árbol.)* ¡Qué calor se nota aquí! ¡Y yo que tengo tanto que hacer...!

HELMER. *(Se levanta y recoge sus papeles.)* Voy a echar una ojeada a esto antes de sentarnos a la mesa. Luego me ocuparé de tu disfraz. ¡Quién sabe si, a lo mejor, tengo algo dispuesto para colgarlo del árbol, envuelto en un papel dorado! *(Poniéndole una mano sobre la cabeza.)* ¡Querido pajarito cantor! *(Entra en su despacho, cerrando la puerta.)*

NORA. *(En voz baja, luego de un silencio.)* ¡No, no es verdad!... ¡Es imposible! ¡Tiene que ser imposible!...

ANA MARÍA. *(A la puerta de la izquierda.)* Los niños piden que su mamá les permita entrar.

NORA. ¡No, no; no los dejes venir conmigo! Quédate tú con ellos, Ana María.

ANA MARÍA. Está bien, señora. *(Cierra la puerta.)*

NORA. *(Pálida de terror.)* ¡Pervertir a mis hijos!... ¡Envenenar el hogar! *(Pausa. Levanta la cabeza.)* ¡No, no es verdad!... ¡No puede serlo!

ACTO SEGUNDO

La misma decoración. Junto al piano está el árbol de Navidad, sin adornos y con las velas consumidas. Sobre el sofá está el abrigo de Nora.

Esta, sola en el salón, se pasea, intranquila, de un lado a otro. Al cabo se detiene frente al sofá y coge el abrigo.

NORA. *(Dejando el abrigo nuevamente.)* ¡Alguien viene!... *(Se acerca a la puerta y escucha.)* No, no hay nadie. ¡Quién iba a venir el día de Navidad... ni mañana tampoco! Pero cuando menos se piense... *(Abre la puerta y mira.)* Pues no hay nada en el buzón; está vacío. *(Paseándose.)* ¡Qué necedad! Claro que no lo hará!... No es posible que suceda una cosa así. No puede ser. ¡Tengo tres hijos pequeños!

Ana María entra por la puerta de la izquierda, con una caja grande de cartón.

ANA MARÍA. Por fin encontré la caja del disfraz.

NORA. Gracias; déjala sobre la mesa.

ANA MARÍA. *(Saliendo.)* El disfraz necesita bastante arreglo.

NORA. ¡Oh, lo haría pedazos!

ANA MARÍA. ¡Vamos, señora! Con un poco de paciencia, puede arreglarse.

NORA. Sí; le pediré a la señora Linde que me ayude.

ANA MARÍA. ¿Salir otra vez? ¿Con el tiempo que hace?... Va usted a coger frío y a enfermarse.

NORA. ¡Bah!, no es eso lo peor que puede pasarme... ¿Qué hacen los niños?

ANA MARÍA. Los pobrecitos juegan con sus regalos; pero...

NORA. ¿Preguntan a menudo por mí?

ANA MARÍA. Como están tan acostumbrados a jugar con su mamá...

NORA. Sí, Ana María; pero ya no podré estar con ellos tanto como antes.

ANA MARÍA. Menos mal que los niños se habitúan a todo.

NORA. ¿Cree que olvidarán a su mamá si se fuera para siempre?...

ANA MARÍA. ¡Qué idea!... ¿Para siempre?

NORA. Dime, Ana María... Muchas veces me he preguntado cómo fuiste capaz de dejar a tu hija en manos extrañas.

ANA MARÍA. ¡Qué remedio quedaba, si había que criar a Norita!...

NORA. Bueno; pero ¿cómo *pudiste* hacerlo?

ANA MARÍA. ¡Me ofrecían una colocación tan buena...! Si una muchacha pobre ha tenido un desliz, por fuerza tiene que amoldarse. Porque el infame no quiso hacer nada por mí

NORA. Pero, seguro que tu hija te habrá olvidado.

ANA MARÍA. ¡No, eso sí que no! Me escribió cuando la confirmaron, y también después, cuando se casó.

NORA. *(Abrazándola.)* ¡Ana María, fuiste muy buena madre para mí, cuando yo era pequeña!...

ANA MARÍA. La pobre Norita no tenía otra madre que yo...

NORA. Si los niños llegaran a no tenerla tampoco... estoy convencida de que tú... *(Abre la caja.)* Ve con ellos. Ahora tengo que... Ya verás qué bonita voy a ponerme mañana.

ANA MARÍA. No me cabe duda de que en todo el baile no habrá otra tan hermosa como la señora. *(Sale por la puerta de la izquierda.)*

NORA. *(Empieza a sacar las cosas de la caja; pero luego deja todo a un lado.)* Si me atreviese a ir... Si estuviera segura de que no venía nadie... Si no ocurriese nada en casa entre tanto... ¡Qué tontería! No vendrá nadie. ¡Más vale no pensar! Cepillaré el manguito... ¡Qué bonitos son estos guantes...! Uno, dos, tres... cuatro, cinco... seis... *(Da un grito.)* Alguien viene... *(Intenta ir hacia la puerta; pero se para, indecisa. La señora Linde entra por la antesala, donde ha dejado su abrigo.)* ¡Ah...!, eres tú, Cristina... No ha venido nadie más, ¿verdad? ¡Cuánto me alegro de que hayas llegado!

SEÑORA LINDE. Me han dicho que habías estado en casa preguntando por mí.

NORA. Sí, pasaba por allí casualmente. Quería pedirte que me ayudases en algo. Vamos a sentarnos aquí, en el sofá. Oye: mañana por la noche hay un baile de máscaras en el piso de arriba, en casa del cónsul Stemborg, y Torvaldo quiere que me disfrace de pescadora napolitana y baile la tarantela que aprendí en Capri.

SEÑORA LINDE. ¡Hola! ¿Conque vas a dar una función?

NORA. Sí, eso quiere Torvaldo. Mira, aquí tengo el traje que él encargó que me confeccionaran allá; pero está tan estropeado que, francamente, no sé qué hacer...

SEÑORA LINDE. No te apures; lo arreglaremos enseguida. Es sólo el adorno, que se ha descosido por algunos sitios. ¿Tienes hilo y aguja? ¡Ah!, pero si aquí hay todo lo que necesitamos.

NORA. ¡Qué buena eres!

SEÑORA LINDE. *(Cosiendo.)* ¿De manera que te disfrazas mañana...? Entonces vendré un momento a verte. Por cierto que se me había olvidado darte las gracias por la velada tan deliciosa que pasé ayer.

NORA. *(Se levanta y pasea.)* ¡Oh! Pues a mí me pareció que ayer no lo pasamos tan bien como otros años. Debías haber venido a la ciudad antes, Cristina. Torvaldo se ingenia muy bien para hacer amable y acogedora la casa.

SEÑORA LINDE. Y tú lo mismo... Por algo eres hija de tu padre. Pero dime; ¿está el doctor Rank siempre tan decaído como ayer?

NORA. No; ayer lo estaba más que de costumbre. El pobre se encuentra gravemente enfermo. Padece una tuberculosis de la médula, ¿sabes?... Su padre era un hombre detestable, que tenía queridas y otras cosas peores... Debido a eso, el hijo fue enfermizo desde su niñez.

SEÑORA LINDE. *(Dejando la labor.)* Pero, Nora, criatura, ¿cómo te enteras de semejantes cosas?

NORA. *(Paseándose)* ¡Oh!... Cuando una ha tenido tres niños, recibe a veces la visita de ciertas señoras... que son casi médicos y dan determinados detalles.

SEÑORA LINDE. *(Vuelve a su labor. Breve silencio.)* ¿Viene aquí el doctor Rank a diario?

NORA. Todos los días. Es el mejor amigo de la infancia de Torvaldo, y también muy buen amigo mío. Lo consideramos como de la familia.

SEÑORA LINDE. Pero ¿es un hombre verdaderamente sincero...? Vamos, quiero decir que si le gusta adular.

NORA. No; todo lo contrario. ¿Cómo has pensado eso?

SEÑORA LINDE. Ayer, cuando me lo presentaste, me afirmó que había oído aquí frecuentemente mi nombre, y luego me di cuenta de que tu marido no tenía ni la menor noción de quién era yo. Dime, ¿cómo podía, entonces, el doctor Rank..?

NORA. Pues es muy sencillo, Cristina. Torvaldo siente tal adoración por mí, que quiere que sea sólo para él, como dice. Figúrate que al principio se ponía medio celoso nada más que de oírme hablar de los seres queridos de mi familia. Desde entonces, como es natural, dejé de hacerlo. Pero con el doctor Rank hablo a menudo de estas cosas; a él le gusta oírme.

SEÑORA LINDE. Escucha, Nora: en muchos aspectos eres todavía una niña, y como yo soy bastante mayor que tú y tengo un poco más de experiencia, entiendo que puedo darte un consejo: deberías cortar con el doctor Rank.

NORA. ¿Cortar? ¿Qué?

SEÑORA LINDE. Esas relaciones. Por ejemplo, ayer me hablaste de un admirador rico, que iba a proporcionarte dinero...

NORA. Sí, te hablé de uno; pero no existe, por desgracia... ¿Qué más?

SEÑORA LINDE. ¿Tiene fortuna el doctor?

NORA. Sí.

SEÑORA LINDE. ¿Y familia?

NORA. No, familia, no; pero...

SEÑORA LINDE. ¿Y viene aquí todos los días?

NORA. Sí, ya te lo he dicho.

SEÑORA LINDE. ¿Y cómo es posible que un hombre tan correcto llegue a ese extremo?

NORA. No te comprendo.

SEÑORA LINDE. ¡Vamos, Nora! Es inútil disimular. ¿Crees que yo no he adivinado quién te prestó las cuatro mil ochocientas coronas?

NORA. Pero ¿has perdido el juicio? ¿Eres capaz de creer tal cosa? ¡Un amigo que viene aquí todos los días! ¡Figúrate qué situación tan violenta!

SEÑORA LINDE. ¿Conque de veras no es él?

NORA. No, te aseguro que no. Ni siquiera me ha pasado por la imaginación... Por otra parte, en aquella época, él no tenía dinero para prestar a nadie; heredó después.

SEÑORA LINDE. Ha sido una suerte para ti, querida Nora.

NORA. No, jamás se me habría ocurrido... y eso que estoy absolutamente segura de que si se lo pidiera...

SEÑORA LINDE. Pero no lo harás, por supuesto.

NORA. Por supuesto que no. Además, no creo que sea necesario. Sin embargo, estoy persuadida de que si yo hablara con el doctor Rank...

SEÑORA LINDE. ¿A espaldas de tu marido...?

NORA. Tengo que salir de esta situación aunque sea a espaldas suyas. Es indispensable.

SEÑORA LINDE. Eso te decía yo ayer; pero...

NORA. *(Paseándose.)* Un hombre puede arreglar esos asuntos mucho mejor que una mujer...

SEÑORA LINDE. Si aludes al marido, sí.

NORA. ¡Niñerías! *(Se detiene.)* Cuando se han pagado todas las deudas devuelven el recibo, ¿no es verdad?

SEÑORA LINDE. Por supuesto.

NORA. Y ya se puede romper en cien mil pedazos el maldito papel... arrojándolo al fuego.

SEÑORA LINDE. *(La mira con fijeza, deja la labor y se levanta lentamente.)* Nora, tú me ocultas algo.

NORA. ¿En qué lo notas?

SEÑORA LINDE. Desde ayer por la mañana ha ocurrido alguna novedad. Nora, ¿qué te ha pasado?

NORA. *(Volviéndose hacia ella.)* ¡Cristina! *(Escuchando.)* ¡Chist! Ha llegado Torvaldo. Anda, vete con los niños por el momento. Torvaldo no puede ver coser... Di a Ana María que te ayude.

SEÑORA LINDE. *(Mientras recoge algunas de las prendas.)* Está bien; pero no pienso marcharme de aquí hasta que hayamos hablado sin rodeos. *(Sale por la puerta de la izquierda, al mismo tiempo que Helmer entra por la de la antesala.)*

NORA. *(Yendo hacia él.)* ¡Con qué impaciencia te esperaba, Torvaldo!

HELMER. ¿Era la costurera?

NORA. No; era Cristina. Está ayudándome a arreglar el traje. Ya verás qué bien voy a estar.

HELMER. Sí; ¿no he tenido una buena idea?

NORA. ¡Magnífica! Pero yo a mi vez tengo el mérito de procurar complacerte.

HELMER. *(Acariciándole el mentón.)* ¿Mérito... por complacer a tu marido...? Bueno, bueno, locuela; ya sé que no es eso lo que querías decir. Pero no deseo estorbarte más, porque irás a probarte, supongo.

NORA. ¿Y tú irás a trabajar?

HELMER. Sí. *(Le enseña un rollo de papeles).* Mira: he estado en el Banco... *(Se dirige a su despacho.)*

NORA. ¡Torvaldo!

HELMER. *(Deteniéndose.)* ¿Qué?

NORA. Si tu ardillita te pidiera encarecidamente una cosa...

HELMER. ¿Qué cosa?

NORA. ¿La harías?

HELMER. Primero necesito saber de qué se trata, como es natural.

NORA. Si quisieras ser tan bueno y complacerme, la ardillita brincaría de alegría...

HELMER. ¡Vaya! Dime qué es.

NORA. Tu alondra cantaría por toda la casa...

HELMER. ¡Oh!, eso ya lo hace mi alondra de continuo

NORA. Haría la sílfide y bailaría para ti a la luz de la luna, Torvaldo.

HELMER. Nora, espero que no insistirás en lo que pretendías esta mañana.

NORA. *(Aproximándose.)* Sí, Torvaldo... ¡Te lo pido por favor!

HELMER. ¿Y te atreves a volver a hablarme de ese asunto?

NORA. Anda, sé complaciente. Deja que continúe Krogstad en el Banco.

HELMER. Pero, querida Nora, si ya he destinado ese puesto a la señora Linde.

NORA. Sí, has sido muy amable; pero puedes despedir a otro empleado en lugar de Krogstad.

HELMER. ¡Eres de lo más testaruda! ¿Crees que yo, porque le hayas prometido irreflexivamente interceder en favor suyo...?

NORA. Si no es por eso, Torvaldo. Es por ti. Tú mismo me has dicho que ese hombre escribe en los peores periódicos. Puede hacerte muchísimo daño. Le tengo miedo...

HELMER. Sí, ya comprendo. Te acuerdas de lo que pasó en otra época, ¿no?

NORA. ¿Qué quieres decir?

HELMER. Me figuro que piensas en tu padre.

NORA. Sí, ciertamente; no olvides lo que escribieron en los periódicos personas malvadas, diciendo verdaderas atrocidades de él. Si no llega a enviarte el ministerio para hacer indagaciones, y si no hubieras sido tan benévolo con él, estoy convencida de que habrían acabado por destituirlo.

HELMER. Querida Nora, hay una gran diferencia entre tu padre y yo. Tu padre no era realmente un funcionario inatacable. Yo, sí, y espero seguir siéndolo mientras conserve mi puesto.

NORA. ¡Oh!, nadie sabe lo que son capaces de inventar las malas lenguas. Y ahora que podríamos vivir tan tranquilos y tan felices en nuestro apacible hogar... tú, yo y los niños... Por eso te pido con tanto ahínco...

HELMER. Pues justamente porque eres tú la que intercedes por él, me es imposible acceder. Ya saben en el Banco que voy a despedirlo; si llegara a hacerse público que el nuevo director se había dejado influir por su mujer...

NORA. ¿Y qué?

HELMER. Te veo venir; lo importante es que la tozudita se salga con la suya... ¿Debería ponerme en ridículo delante de todo el personal... permitir pensar a la gente que me dejo llevar de cualquiera? Créeme: muy pronto tropezaría con las consecuencias. Por añadidura, existe otra razón que no hace posible la permanencia de Krogstad en el Banco mientras yo sea director.

NORA. ¿Cuál?

HELMER. Hasta cierto punto, habría podido pasar por alto su tara moral...

NORA. Sí, ¿eh, Torvaldo?

HELMER. Máxime habiendo oído que es un empleado bastante eficiente. Pero lo conozco desde que éramos jóvenes. Nos liga una de esas amistades hechas a la ligera y que después resultan muy molestas en la vida. Para decírtelo con franqueza, nos tuteamos. Y el descarado tiene la desfachatez de no disimularlo delante de otras personas. Por el contrario, cree que eso le da derecho a emplear un tono familiar conmigo, y a cada momento se recrea diciéndome: «Oye, Helmer...» Te aseguro que eso me molesta en alto grado. Consigue hacerme insoportable mi situación en el Banco.

NORA. No sientes nada de lo que estás diciendo.

HELMER. ¡Ah!, ¿no...? ¿Por qué no?

NORA. Porque esas son razones mezquinas.

HELMER. ¿Qué dices...? ¿Me crees mezquino?

NORA. No; todo lo contrario, Torvaldo, y por eso precisamente...

HELMER. Da lo mismo. Dices que mis razones son mezquinas; luego, debo de serlo yo. ¿Mezquino? ¡Ah!, ¿sí...? Pues ha llegado el momento de poner fin a todo esto. *(Dirigiéndose a la puerta de la antesala.)* ¡Elena!

NORA. Pero ¿qué vas a hacer?

HELMER. *(Buscando entre sus papeles.)* Adoptar una resolución. *(Entra la doncella.)* Toma esta carta y entrégala enseguida a un muchacho para que la lleve. ¡De prisa! La dirección está en el sobre. Aquí tienes dinero.

ELENA. Bien, señor. *(Se marcha con la carta.)*

HELMER. *(Recogiendo los papeles.)* Ahora verás, señora terca.

NORA. *(Sin aliento.)* Torvaldo... ¿Qué contiene esa carta?

HELMER. La cesantía de Krogstad.

NORA. ¡Recupérala, Torvaldo! Todavía estás a tiempo, ¡hazlo por mí, por ti, por los niños! Óyeme, Torvaldo... ¡hazlo! Tú no sabes lo que puede esto traernos.

HELMER. Ya es tarde.

NORA. Sí, demasiado tarde.

HELMER. Nora, te perdono esa angustia que experimentas, aunque, en el fondo, constituye un insulto para mí. ¡Sí, lo es! ¿Acaso no constituye un insulto pensar que yo podía temer la venganza de un pobre abogaducho sin escrúpulos? Pero te perdono, a pesar de todo, porque eso demuestra el gran cariño que sientes por mí. *(Abrazándola.)* Así tiene que ser, querida Nora, pase lo que pase. Créeme que, cuando verdaderamente hace falta, me sobran fuerzas y valor. Ya verás cómo soy lo bastante hombre para llevarlo todo sobre mis hombros.

NORA. *(Alarmada.)* ¿Qué intentas decir con eso?

HELMER. Todo, he dicho todo...

NORA. *(Firmemente.)* No puedo consentirlo.

HELMER. Bien, pues compartiremos la carga... como marido y mujer. Es lo que se impone. *(Acariciándola.)* ¿Estás contenta ahora? Vamos, vamos, no pongas esos ojos de paloma asustada. Si no son más que figuraciones sin fundamento. Ahora debías dedicarte a tocar la tarantela y ensayar con la pandereta. Yo me encerraré en el despacho del fondo y cerraré la otra puerta para no oír nada: así puedes hacer todo el ruido que quieras. *(Volviéndose desde el umbral.)* Y cuando venga Rank, le dices dónde puede encontrarme. *(Le hace un saludo con la cabeza, entra en su despacho y cierra tras sí.)*

NORA. *(Loca de angustia, se queda como clavada en el sitio, y murmura.)* ¡Sería capaz de hacerlo! ¡Sí, lo hará...! Lo hará, a pesar de todo... ¡No! ¡Eso, jamás! ¡Todo antes que eso...! ¡Serenidad...! ¡Un recurso...! *(Suena la campanilla.)* El doctor Rank... ¡Antes cualquier cosa! ¡Sea lo que sea! *(Se pasa la mano por la cara, recobrándose, y va a abrir la puerta de la antesala. Se ve al doctor Rank colgando su abrigo de pieles. Empieza a oscurecer.)* Buenas tardes, doctor. Lo he reconocido por la manera de llamar. No entre ahora a ver a Torvaldo; creo que está muy ocupado.

DOCTOR RANK. ¿Y usted?

NORA. *(Mientras el doctor entra en la sala, ella cierra la puerta.)* Ya sabe que para usted siempre tengo un momento.

DOCTOR RANK. Muy agradecido. Pienso aprovecharme de eso todo el tiempo que pueda.

NORA. ¿Cómo todo el tiempo que pueda?

DOCTOR RANK. Sí. ¿Le asusta eso?

NORA. Es un modo de expresarse bastante extraño. ¿Espera algún acontecimiento?

DOCTOR RANK. El acontecimiento previsto desde larga fecha. Pero no creía que viniera tan pronto.

NORA. *(Cogiéndolo del brazo.)* ¿Qué ha llegado a saber? No puede negarse a decírmelo, doctor.

DOCTOR RANK. *(Se sienta al lado de la estufa.)* La cosa va de mal en peor. No tiene remedio.

NORA. *(Con un suspiro de alivio.)* ¿Se refiere a usted...?

DOCTOR RANK. ¿A quién iba a referirme? Ya es inútil que me engañe a mí mismo. Soy el más desdichado de mis pacientes, señora Helmer. Estos últimos días he hecho un balance general de mi estado anterior. Es una efectiva bancarrota. Dentro de un mes, probablemente, estaré pudriéndome en el cementerio.

NORA. ¡Oh, qué manera de hablar...!

DOCTOR RANK. No es para menos. Aun así, lo peor serán los horrores que habré de pasar antes. Sólo me queda por hacer un examen; en cuanto lo haya hecho, sabré, poco más o menos, cuándo empezará la descomposición. Quiero decirle una cosa: Helmer, con su naturaleza delicada, tiene una verdadera aversión a todo lo que sea repugnante. No quiero verlo a mi cabecera...

NORA. Pero, doctor...

DOCTOR RANK. No quiero que venga. Le cerraría mi puerta. Tan pronto como esté seguro del desastre, le enviaré a usted mi tarjeta, marcada con una cruz negra, y así se enterará de que ha empezado la catástrofe.

NORA. ¡Hoy está usted tremendo! ¡Y yo que tenía tanta necesidad de verlo de buen humor...!

DOCTOR RANK. ¿Con la muerte a dos pasos...? ¿Y debiendo pagar por otro? ¿Es eso justo...? Y en casi todas las familias se da esa vindicación inexorable...

NORA. *(Se tapa los oídos.)* Está usted diciendo tonterías... ¡Vamos, anímese!

DOCTOR RANK. Sí, desde luego, es algo como para animarse. ¡Mi inocente espina dorsal teniendo que purgar las culpas de los alegres días que pasó mi padre cuando era teniente...!

NORA. *(Junto a la mesa de la izquierda.)* Así, pues, ¿a él le gustaban los espárragos y el «foie gras»?

DOCTOR RANK. Sí, y las trufas.

NORA. Las trufas eran imprescindibles. Y también las ostras, ¿no?

DOCTOR RANK. Sí, las ostras, indudablemente.

NORA. Y para colmo, aquellas cantidades de oporto y champaña... Es una lástima que todas esas cosas tan buenas perjudiquen la espina dorsal.

DOCTOR RANK. Sobre todo cuando perjudican una espina dorsal que jamás las disfrutó.

NORA. En efecto, eso es lo más triste.

DOCTOR RANK. *(Mirándola fijamente.)* ¿Eh...?

NORA. *(Después de una pausa.)* ¿Por qué sonríe usted?

DOCTOR RANK. No; es usted la que ha sonreído.

NORA. No; ha sido usted, doctor.

DOCTOR RANK. *(Se levanta.)* La encuentro más bromista de lo que sospechaba.

NORA. Es que hoy estoy dispuesta a hacer locuras.

DOCTOR RANK. Así parece.

NORA. *(Poniéndole las manos sobre los hombros.)* Querido doctor, no me conformo a que se muera usted, abandonándonos a Torvaldo y a mí.

DOCTOR RANK. Es una ausencia que olvidará usted sin tardanza.

NORA. *(Lo mira con angustia.)* ¿Usted cree?

DOCTOR RANK. Se establecen nuevas amistades y después...

NORA. ¿Que se establecen nuevas amistades?

DOCTOR RANK. Eso harán usted y Helmer tan pronto yo desaparezca. Usted, por su parte, veo que ya está empezando. ¿A qué venía aquí anoche la señora Linde?

NORA. ¡Hombre, no irá usted a tener celos de la pobre Cristina...!

DOCTOR RANK. Sí, los tengo. Va a ser mi sucesora en esta casa. Cuando yo falte, esa mujer...

NORA. ¡Chist...! No hable tan alto, está ahí dentro.

DOCTOR RANK. ¿Hoy también...? ¿Lo ve usted?

NORA. Sólo ha venido a arreglar mi traje. ¡Dios mío, qué disparatado está usted...! *(Sentándose en el sofá.)* Sea bueno, doctor; ya verá lo bien que voy a bailar mañana. Entonces podrá figurarse que lo hago por usted... y por Torvaldo, naturalmente. *(Saca varios ob-*

jetos de la caja.) Siéntese aquí, doctor; le voy a enseñar una cosa.

DOCTOR RANK. *(Sentándose.)* ¿Qué es?

NORA. Mire.

DOCTOR RANK. Medias de seda.

NORA. Color carne. ¿No son bonitas? Ahora está demasiado oscuro; pero mañana... No, no; no le dejaré ver más que el pie. Aunque, al fin y al cabo, vea toda la media.

DOCTOR RANK. ¡Hum!

NORA. ¿Por qué pone usted esa cara de incertidumbre? ¿Acaso cree que no me van a quedar bien?

DOCTOR RANK. No tengo ninguna razón fundada para opinar sobre ese particular...

NORA. *(Mirándolo un momento.)* ¿No le da vergüenza...? *(Le golpea ligeramente en una oreja con una de las medias.)* ¡Tome, por malo! *(Envuelve las medias de nuevo.)*

DOCTOR RANK. ¿Y qué más maravillas iba usted a enseñarme?

NORA. Ya no le enseño nada más, por atrevido. *(Revuelve en la caja canturreando.)*

DOCTOR RANK. Cuando estoy aquí sentado con usted, no puedo comprender... no, no me cabe en la cabeza... Lo que habría sido de mí, si no hubiera venido a esta casa.

NORA. *(Sonríe.)* Por lo visto, lo pasa usted bien con nosotros.

DOCTOR RANK. *(Bajando la voz, con la mirada en el vacío.)* ¡Y tener que abandonarlo todo...!

NORA. ¡Tonterías! ¡Qué ha de abandonar usted!

DOCTOR RANK. ¡Y no dejar siquiera la más leve señal de gratitud...! A lo sumo, un vacío pasajero..., un sitio vacante que podrá ocupar el primero que llegue.

NORA. ¿Y si ahora le pidiera yo algo...?

DOCTOR RANK. ¿Qué?

NORA. Una gran prueba de amistad...

DOCTOR RANK. ¿Nada menos?

NORA. Quiero decir que si yo le pidiera un favor inmenso...

DOCTOR RANK. ¿Me proporcionaría usted por una vez esa gran alegría?

NORA. Pero si no se imagina lo que es.

DOCTOR RANK. Pues bien: dígamelo.

NORA. No puedo, doctor; es demasiado, ¿comprende? Un consejo, una ayuda y un servicio...

DOCTOR RANK. Mejor que mejor. No acierto a comprender en qué consiste. Pero, por Dios, ¡hable...! ¿No merezco su confianza?

NORA. Usted, más que nadie. Sé de sobra que es mi mejor y más fiel amigo. Por eso voy a decírselo. Verá usted, doctor; tiene que ayudarme a evitar una cosa. Le consta lo mucho que me quiere Torvaldo, quien no dudaría un momento en dar su vida por mí...

DOCTOR RANK. *(Inclinándose hacia ella.)* Nora, ¿cree usted tal vez que él es el único...?

NORA. *(Ligeramente agitada.)* ¡Cómo!

DOCTOR RANK. ¿...el único que con gusto daría por usted la vida?

NORA. *(Tristemente.)* Pero ¿usted...?

DOCTOR RANK. Me he jurado a mí mismo que lo sabría usted antes de desaparecer yo. Y nunca hubiera encontrado mejor ocasión que esta... Sí, Nora, ya lo sabe. Y también sabe que puede confiar en mí como en nadie.

NORA. *(Levantándose, con toda tranquilidad.)* Déjeme pasar.

DOCTOR RANK. *(Dejándole paso, pero sin levantarse.)* Nora...

NORA. *(Desde la puerta de la antesala.)* ¡Elena, trae una lámpara! *(Acercándose a la estufa.)* ¡Ah, querido doctor, eso está muy mal de su parte...!

DOCTOR RANK. *(Se levanta.)* ¿Está mal haberla querido más que a nadie?

NORA. No, sino habérmelo dicho. No había ninguna necesidad...

DOCTOR RANK. ¿Qué insinúa usted...? ¿Lo sabía? *(Entra la doncella con la lámpara, la deja encima de la mesa y sale.)* Nora, señora, permítame preguntarle si lo sabía.

NORA. Ignoro si lo sabía o no... No puedo decírselo... ¿Cómo ha sido usted tan torpe, doctor? ¡Con lo bien que iba todo!

DOCTOR RANK. En fin, por lo menos, por el momento tiene usted la seguridad de que estoy a su disposición en cuerpo y alma. ¿Quiere hablar sin rodeos?

NORA. Ya no puedo decirle nada.

DOCTOR RANK. Se lo ruego, dígame qué hay.

NORA. *(Mirándolo.)* ¿Después de lc que ha pasado?

DOCTOR RANK. Sí, sí; no me castigue de ese modo. Déjeme hacer por usted cuanto sea humanamente posible.

NORA. Ya no puede hacer nada por mí... Por lo demás, presiento que no necesitaré ayuda, después de todo. Verá cómo todo han sido alucinaciones mías. *(Se sienta en la mecedora, afrontándole, sonriente.)* ¡Pues sí que es usted un caballero, doctor! ¿No se abochorna ahora, con la luz encendida?

DOCTOR RANK. No; sinceramente, no. Pero ¿será cuestión de que me marche... para siempre?

NORA. De ningún modo. Tiene que seguir viniendo como antes. Sabe muy bien que Torvaldo no puede estar sin usted.

DOCTOR RANK. Bueno; pero... ¿y usted?

NORA. ¿Yo...? Me parece todo tan agradable cuando usted viene...

DOCTOR RANK. Eso mismo me ha inducido a caer en el error. Es usted un enigma para mí. Muchas veces he tenido la impresión de que estaba usted tan a gusto en mi compañía como en la de Helmer.

NORA. Sí, porque, ¿sabe?, a ciertas personas se les tiene más cariño, y no obstante, se prefiere la compañía de otras.

DOCTOR RANK. Sí, hay algo de verdad en lo que dice.

NORA. Cuando estaba yo en casa, a quien más quería era a papá, evidentemente. Pero mi mayor diversión era poder hacer una escapadita al cuarto de las sirvientas; no me regañaban nunca, y además, siempre hablaban entre sí de cosas muy divertidas.

DOCTOR RANK. ¡Ah! ¿De manera que ha sustituido a las sirvientas...?

NORA. *(Se levanta repentinamente y va hacia él.)* ¡Oh, doctor! No es eso lo que quería decir... Pero debe comprender que me pasa con Torvaldo lo mismo que con papá.

ELENA. *(Que entra por la antesala.)* Señora... *(Secretea con ella un momento y le entrega una tarjeta.)*

NORA. *(Mirando la tarjeta.)* ¡Ah! *(Se la guarda en el bolsillo.)*

DOCTOR RANK. ¿Algún contratiempo?

NORA. No, no, nada; es solamente... mi vestido nuevo...

DOCTOR RANK. ¡Cómo! Pero si está ahí.

NORA. ¡Ah! sí, ese; pero es otro que he encargado... No quiero que lo sepa Torvaldo...

DOCTOR RANK. ¡Ya...! ¿Conque era ese el gran secreto?

NORA. Pues claro. Pase usted a ver a Torvaldo; está en el despacho del fondo. Y procure distraerlo mientras tanto...

DOCTOR RANK. Esté usted tranquila, que no se me escapará. *(Entra en el despacho.)*

NORA. *(A la doncella.)* ¿Y está esperando en la cocina?

ELENA. Sí, señora; ha venido por la escalera de servicio...

NORA. ¿No le has dicho que tenía visita?

ELENA. Sí, pero ha sido en vano.

NORA. ¿No ha querido marcharse?

ELENA. No; dice que no se irá hasta haber hablado con la señora.

NORA. Bueno; hazlo pasar, pero con cautela... No se lo digas a nadie, Elena; es una sorpresa para el señor.

ELENA. Sí, sí, comprendo. *(Sale.)*

NORA. Ya ha llegado el momento fatal. Tenía que ser... No, no; no puede ser. *(Pasa el pestillo a la puerta del despacho. Elena, que vuelve, abre la de la antesala, dando paso a Krogstad, y la cierra. Krogstad viste abrigo y gorro de pieles. Nora avanza hacia él.)* Hable bajo; mi esposo está en casa.

KROGSTAD. ¡Oh...! Es igual.

NORA. ¿Qué desea usted de mí?

KROGSTAD. Un detalle nada más.

NORA. Dése prisa. ¿Qué es?

KROGSTAD. Sabrá usted que he recibido la cesantía.

NORA. No pude evitarlo, señor Krogstad. He defendido con el mayor empeño su causa, pero en vano.

KROGSTAD. ¿Tan poco la quiere a usted su esposo? Conoce a lo que puedo exponerla, y con todo se atreve...

NORA. ¿Cómo supone usted que él está al tanto de eso?

KROGSTAD. La verdad es que no lo supongo. No creo que mi buen Torvaldo Helmer tenga valor...

NORA. Señor Krogstad, le exijo respeto para mi marido.

KROGSTAD. Eso es... todo el respeto que se merece. Pero, en vista de que oculta usted este asunto con tanto interés, me tomo la libertad de suponer que está mejor informada que ayer de la importancia de lo que hizo.

NORA. Mejor de lo que hubiera sido por usted.

KROGSTAD. Sin duda; un jurista tan malo como yo...

NORA. ¿Qué desea usted de mí?

KROGSTAD. Nada; sólo ver cómo se encontraba, señora Helmer. He estado todo el día pensando en usted.

También un hombre indeseable como yo tiene un poco de eso que llaman corazón.

NORA. Demuéstrelo, entonces, y piense en mis hijos.

KROGSTAD. ¿Es que usted y su esposo han pensado en los míos...? Pero ya no importa. Simplemente, quería decirle que no tome este asunto demasiado en serio. Por ahora no pienso presentar ninguna denuncia contra usted.

NORA. No, ¿verdad? Lo sabía.

KROGSTAD. Todo puede arreglarse amistosamente, sin tener que mezclar a otras personas; todo puede quedar entre nosotros.

NORA. No conviene que se entere nunca mi esposo.

KROGSTAD. ¿Cómo va usted a impedirlo? ¿Puede pagar acaso el resto de la deuda?

NORA. No; ahora mismo no.

KROGSTAD. ¿O quizá ha encontrado medio de conseguir el dinero uno de estos días?

NORA. No; no he encontrado ningún medio.

KROGSTAD. Tampoco le hubiera servido de nada. Ni por todo el dinero del mundo le devolvería el recibo.

NORA. Entonces, explíqueme cómo quiere utilizarlo.

KROGSTAD. Sólo quiero conservarlo, tenerlo como garantía para protegerme. A ningún extraño llegará el menor rumor. De modo que si ha adoptado usted alguna resolución desesperada...

NORA. Sí, la he adoptado.

KROGSTAD. ...si ha pensado abandonar su hogar...

NORA. Lo he pensado

KROGSTAD. ...o algo peor todavía.

NORA. Pero ¿cómo puede usted saberlo?

KROGSTAD. ...deseche esas ideas.

NORA. ¿Y por qué sabe usted que las tengo?

KROGSTAD. Casi todos las tenemos al principio. Yo mismo las tuve; pero confieso que me faltó valor...

NORA. *(Con voz ahogada.)* A mí también.

KROGSTAD. *(Tranquilizado.)* Sí, ¿eh? ¿A usted también le falta valor...?

NORA. Sí.

KROGSTAD. En suma, sería una verdadera estupidez. Pasada la primera tempestad conyugal... Aquí en el bolsillo llevo una carta para su esposo...

NORA. ¿Y le cuenta usted todo?

KROGSTAD. En los términos más suaves.

NORA. *(Precipitadamente.)* No quiero que vea esa carta. Rómpala. Ya encontraré el medio de pagarle.

KROGSTAD. Perdone usted, señora; pero me parece que acabo de decirle...

NORA. Si no hablo del dinero que le debo. Dígame la cantidad que le va a exigir a mi esposo, y yo la buscaré.

KROGSTAD. No exijo ningún dinero a su esposo.

NORA. Pero, ¿qué se porpone usted?

KROGSTAD. Se lo diré. Deseo rehabilitarme, señora; deseo prosperar, y su esposo va a ayudarme. Hace un año y medio que no cometo ningún acto deshonroso. Durante todo ese tiempo he luchado contra las circunstancias más adversas. Me contentaría con volver a subir poco a poco. Ahora me han despedido, y no me conformo sólo con que me admitan otra vez por misericordia. Le repito que deseo prosperar. Quiero volver al Banco... tener un cargo más importante. Quiero que su esposo cree un empleo para mí...

NORA. ¡Eso no lo hará nunca!

KROGSTAD. Lo hará; lo conozco... No se atreverá a protestar. Y cuando yo lo haya logrado, ya verá usted... Antes de un año seré la mano derecha del director. Quien dirigirá el Banco será Nils Krogstad, y no Torvaldo Helmer.

NORA. ¡Eso no sucederá jamás!

KROGSTAD. ¿Tal vez intenta usted...?

NORA. Ahora sí que tengo valor para eso.

KROGSTAD. ¡Oh!, no crea que me asusta. Una mujer tan mimada como usted...

NORA. ¡Ya lo verá, ya lo verá!

KROGSTAD. ¿Debajo del hielo quizá? ¿En el fondo frío y sombrío...? Y más tarde, por la primavera, volver a la superficie, desfigurada, desconocida, sin cabello...

NORA. No me asusta usted tampoco.

KROGSTAD. Ni usted a mí. Esas cosas no se hacen, señora Helmer. Además, ¿para qué...? De todos modos la tengo en mi bolsillo.

NORA. ¿Después, cuando yo ya no...?

KROGSTAD. Olvida usted que su memoria estará entonces en mis manos. *(Nora lo mira, atónita.)* Oiga; ya se lo he advertido. ¡Nada de tonterías! En cuanto Helmer reciba mi carta, espero tener noticias de él. Y recuerde que es su propio esposo quien me ha obligado a dar este paso. No se lo perdonaré nunca. Adiós, señora. *(Sale por la puerta de la antesada.)*

NORA. *(Que entreabre la puerta y escucha.)* Se va. No ha dejado la carta. No, no sería posible... *(Abriendo la puerta poco a poco.)* ¿Qué es eso? Se ha detenido. No se va. ¿Será que se arrepiente? ¿O será...? *(Se oye caer una carta en el buzón, y luego los pasos de Krogstad que se pierden por la escalera. Nora, tras de ahogar un grito, vuelve corriendo al sofá. Pausa corta.)* En el buzón. *(Se acerca sigilosamente a la puerta de la sala.)* ¡Ahí está...! ¡Torvaldo, Torvaldo... no hay salvación para nosotros!

SEÑORA LINDE. *(Entrando con el vestido por la puerta de la izquierda.)* No se puede arreglar más. ¿Quieres probártelo?

NORA. *(Con voz ronca.)* Cristina, ven acá.

SEÑORA LINDE. *(Dejando el vestido en el sofá.)* ¿Qué te pasa? Pareces trastornada...

NORA. Ven aquí. ¿Ves esa carta...? Ahí; mira por la abertura del buzón.

SEÑORA LINDE. Sí, ya la veo.

NORA. Esa carta es de Krogstad.

SEÑORA LINDE. ¡Nora...! ¿Fue Krogstad quien te prestó el dinero?

NORA. Sí. Y al final, Torvaldo va a enterarse de todo.

SEÑORA LINDE. Créeme, Nora; es lo mejor para ustedes dos.

NORA. Pero hay más aún; he falsificado una firma...

SEÑORA LINDE. ¡Por amor de Dios...! ¿Qué dices?

NORA. Ahora sólo voy a decirte una cosa, Cristina: quiero que me sirvas de testigo.

SEÑORA LINDE. ¿De testigo? ¿Qué es lo que...?

NORA. Si me volviera loca... lo que muy bien puede suceder...

SEÑORA LINDE. ¡Nora!

NORA. O si sobreviniese alguna desgracia que me impidiera estar presente...

SEÑORA LINDE. Nora, Nora, ¿has perdido la razón?

NORA. Si hubiese alguien que quisiera cargar con toda la culpa, ¿comprendes...?

SEÑORA LINDE. Sí; pero ¿cómo se te puede ocurrir?

NORA. Entonces, actúa de testigo de que no es verdad, Cristina. No he perdido la razón; estoy en mi pleno juicio. Te digo que nadie ha sabido nada. Yo sola lo hice todo. Acuérdate bien.

SEÑORA LINDE. Descuida. Pero no comprendo...

NORA. ¿Cómo has de comprenderlo? Va a realizarse un milagro.

SEÑORA LINDE. ¿Un milagro?

NORA. Sí, un milagro. Pero es tan terrible... No debe suceder eso por nada del mundo.

SEÑORA LINDE. Voy a hablar inmediatamente con Krogstad.

NORA. No vayas; es capaz de hacerte cualquier canallada.

SEÑORA LINDE. Hubo un tiempo en que habría hecho por mí lo que fuera.

NORA. ¿Eh?

SEÑORA LINDE. ¿Dónde vive?

NORA. ¡Oh, yo qué sé...! ¡Ah, sí! *(Buscando en el bolsillo.)* Aquí tengo su tarjeta. Pero la carta..., ¡la carta!

HELMER. *(Llama a la puerta de su despacho.)* ¡Nora!

NORA. *(Con un grito de espanto.)* ¿Qué pasa? ¿Qué quieres?

HELMER. Bien, bien; no te asustes. Si no vamos a entrar; has cerrado la puerta... ¿Estás probándote?

NORA. Sí... sí, estoy probándome. Ya verás qué bien voy a estar, Torvaldo.

SEÑORA LINDE. *(Después de leer la tarjeta.)* Vive aquí al lado, en la esquina.

NORA. Sí; pero es inútil. No hay escape. La carta está en el buzón.

SEÑORA LINDE. ¿Y tu marido tiene la llave?

NORA. Sí, siempre.

SEÑORA LINDE. Krogstad tiene que buscar un pretexto cualquiera para reclamar la carta antes de que sea leída...

NORA. Pero da la casualidad de que a esta hora es cuando Torvaldo acostumbra...

SEÑORA LINDE. Entretenlo mientras voy. Volveré lo más pronto que pueda. *(Sale a toda prisa por la antesala.)*

NORA. *(Abriendo la puerta de Helmer y mirando.)* ¡Torvaldo!

HELMER. *(Desde dentro.)* ¡Ya era tiempo de que pudiera uno entrar en su propio salón...! Ven, Rank, vamos a ver... *(A la puerta.)* Pero ¿qué es esto?

NORA. ¿Qué, Torvaldo?

HELMER. Rank me había anunciado una magnífica exhibición del disfraz...

DOCTOR RANK. *(A la puerta también)* Así lo había entendido; pero, al parecer, me he equivocado.

NORA. Hasta mañana nadie me verá en todo mi esplendor.

HELMER. Querida Nora, ¡qué mala cara tienes! ¿Es que has estado ensayando demasiado el baile?

NORA. No, no he ensayado todavía.

HELMER. Pues no habrá más remedio...

NORA. Sí, Torvaldo, efectivamente. Pero no puedo hacer nada sin tu ayuda; lo he olvidado todo.

HELMER. Pronto lo recordaremos.

NORA. Oye, Torvaldo: vas a ocuparte de mí. ¿Me lo prometes? Estoy tan inquieta... Esa reunión tan importante... Esta noche tienes que dedicármela por completo. Nada de negocios, ni siquiera una letra. ¿Eh, Torvaldo?

HELMER. Te lo prometo. Esta noche estoy a tu disposición... duendecito. ¡Hum!, el caso es que... antes voy a... *(Se dirige hacia la puerta de la antesala.)*

NORA. ¿Qué vas a hacer?

HELMER. Sólo a mirar si han llegado cartas.

NORA. No, no, Torvaldo, no vayas.

HELMER. ¿Por qué?

NORA. Por favor, Torvaldo... No hay nada.

HELMER. Déjame mirar. *(Intenta salir. Nora se sienta al piano y toca los primeros acordes de la tarantela. Helmer se detiene a la puerta.)* ¡Ah...!

NORA. No podré bailar mañana si no quieres ensayar conmigo.

HELMER. *(Acercándose a ella.)* ¿Tanto miedo tienes, querida Nora?

NORA. Sí, un miedo terrible. Déjame ensayar enseguida; todavía hay tiempo antes de sentarnos a la mesa. Vete al piano y toca, Torvaldo. Corrígeme y aconséjame como de costumbre.

HELMER. Con mucho gusto, ya que es tu voluntad. *(Se sienta al piano.)*

NORA. *(Saca de la caja una pandereta y un mantón multicolor. Se lo pone nerviosamente y de un salto se planta en medio de la habitación gritando.)* ¡Toca ya! Voy a bailar.

Helmer toca y Nora baila; el doctor Rank permanece al lado de Helmer, mirándola.

HELMER. *(Tocando.)* ¡Más despacio, más despacio!

NORA. No puedo.

HELMER. No bailes tan de prisa, Nora.

NORA. Exactamente tiene que ser así.

HELMER. *(Para.)* No, no; así no.

NORA. *(Ríe y agita la pandereta.)* ¿No te lo había dicho?

DOCTOR RANK. Déjame tocar a mí.

HELMER. *(Levantándose.)* Sí, hazlo. Así podré enseñarla mejor. ¡Vaya si necesitas ensayo!

NORA. ¡Claro! Ya has visto que lo necesito. Me enseñarás hasta el último momento. ¿Me lo prometes, Torvaldo?

HELMER. Puedes contar con ello, seguro.

NORA. Hoy y mañana no vas a pensar más que en mí. No quiero que abras una carta siquiera... ni siquiera el buzón.

HELMER. ¡Vamos!, todavía le tienes miedo a ese individuo...

HELMER. Nora, lo estoy viendo en tu cara: hay una

NORA. Sí; también hay algo de eso.

carta suya.

NORA. No lo sé; me lo figuro... Pero no vas a leer una cosa así ahora... Nada desagradable se interpondrá entre nosotros hasta que todo haya acabado.

DOCTOR RANK. *(En voz baja, a Helmer.)* No debes contrariarla.

HELMER. *(Abrazando a Nora por la cintura.)* Se hará lo que quiere la niña... Pero mañana por la noche, en cuanto hayas bailado...

NORA. Quedarás en libertad.

ELENA. *(Desde la puerta de la derecha.)* La mesa está servida.

NORA. Tráenos champán, Elena.

ELENA. Bien, señora. *(Sale.)*

HELMER. ¡Vaya, vaya! ¿Conque tenemos una gran fiesta, eh?

NORA. Fiesta y champán hasta que llegue la aurora. *(Llamando a la doncella.)* Y unas cuantas almendras, Elena... mejor dicho, muchas... ¡por una vez!

HELMER. *(Cogiéndole las manos.)* ¡Basta ya de inquietudes! Sé mi alondrita de siempre...

NORA. Sí, Torvaldo, sí. Pero sal un momento, y usted también, doctor; Cristina, ¿quieres ayudarme a arreglarme el pelo?

DOCTOR RANK. *(Por lo bajo, mientras salen.)* ¿No será que esperan... algo?

HELMER. No, no; nada de eso. No es más que el miedo infantil de que te he hablado.

Salen los dos por la derecha.

NORA. ¿Qué?

SEÑORA LINDE. Se ha ido al campo.

NORA. Lo he adivinado en tu cara.

SEÑORA LINDE. Vuelve mañana por la noche; le he puesto unas líneas.

NORA. Mejor hubiera sido que no lo hicieras. No hay que evitar nada. En el fondo, es una verdadera alegría esto de estar esperando algo maravilloso.

SEÑORA LINDE. ¿Qué esperas?

NORA. ¡Oh!, tú no puedes comprenderlo. Vete con ellos. Enseguida iré yo. *(La señora Linde pasa al comedor. Nora hace un esfuerzo para dominarse y mira su reloj.)* Las cinco. De aquí a medianoche quedan siete horas hasta la próxima medianoche. Entonces habré terminado de bailar la tarantela... Veinticuatro y siete, treinta y una. Tengo treinta y una horas de vida.

HELMER. *(A la puerta de la derecha)*. Pero ¿no viene la alondra?

NORA. *(Precipitándose hacia él con los brazos abiertos.)* ¡Aquí la tienes!

ACTO TERCERO

La misma decoración. La mesa, con el sofá y las sillas, ha sido trasladada al centro. Sobre ella, una lámpara encendida. La puerta de la antesala está abierta. Se oye música de baile, que procede del piso superior.

La Señora Linde, sentada junto a la mesa, hojea distraídamente un libro. Hace un esfuerzo para leer; pero parece que no puede concentrarse. De cuando en cuando mira con atención hacia la puerta.

SEÑORA LINDE. *(Mirando su reloj.)* Aún no... y ya ha pasado la hora. Con tal que... *(Escucha de nuevo.)* ¡Aquí está! *(Sale a la antesala y abre con cuidado la puerta del piso. Se oyen pasos por la escalera. En voz baja.)* Pase. No, no hay nadie.

KROGSTAD. *(A la puerta.)* He encontrado una carta suya en casa. ¿Qué quiere decir eso?

SEÑORA LINDE. Es indispensable que hable con usted.

KROGSTAD. ¿Sí? ¿Y tiene que ser en esta casa precisamente?

SEÑORA LINDE. Donde vivo es imposible: mi habitación no tiene entrada independiente. Pase usted; estamos los dos solos; las sirvientas duermen y los Helmer asisten a un baile en el piso de arriba.

KROGSTAD. ¿Conque los Helmer están de baile esta noche? ¿De veras?

SEÑORA LINDE. ¿Por qué no?

KROGSTAD. Es cierto.

SEÑORA LINDE. Bueno, Krogstad; vamos a hablar.

KROGSTAD. ¿Tenemos algo de qué hablar nosotros?

SEÑORA LINDE. Mucho.

KROGSTAD. No lo hubiera creído.

SEÑORA LINDE. Es que usted jamás me ha comprendido bien.

KROGSTAD. No había nada que comprender, esas cosas son muy corrientes en la vida: una mujer sin corazón se quita de encima a un hombre, cuando se le presenta algo más ventajoso.

SEÑORA LINDE. ¿Cree usted que no tengo corazón? ¿Cree que rompí nuestras relaciones sin pensar?

KROGSTAD. ¡Ah!, ¿no?...

SEÑORA LINDE. Krogstad, ¿ha creído usted eso, en efecto?

KROGSTAD. Si no es así, ¿por qué me escribió usted como lo hizo?

SEÑORA LINDE. No podía hacer otra cosa. Resuelta a romper con usted, estimé un deber mío arrancar de su corazón todos sus sentimientos hacia mí.

KROGSTAD. *(Apretando los puños.)* ¿De manera que fue así? ¡Y todo... por dinero!

SEÑORA LINDE. No debe olvidar que yo tenía una madre inválida y dos hermanos pequeños. No podíamos esperar por usted, Krogstad; sus esperanzas eran tan lejanas...

KROGSTAD. Puede ser; pero, aun así, no tenía usted derecho a rechazarme por otro.

SEÑORA LINDE. No sé. Muchas veces me lo he preguntado.

KROGSTAD. *(Mas bajo.)* Cuando la perdí, fue como si desapareciera bajo mis pies la tierra firme. Míreme ahora; soy un náufrago agarrado a una tabla.

SEÑORA LINDE. Puede estar cerca su salvación.

KROGSTAD. Cerca estaba; pero vino usted a interponerse en el medio.

SEÑORA LINDE. Yo no sabía nada, Krogstad. Hasta hoy no me he enterado de que es a usted a quien voy a sustituir en el Banco.

KROGSTAD. Lo creo, puesto que usted lo dice. Pero ahora que lo sabe, ¿no piensa retirarse?

SEÑORA LINDE. No, porque no sería de ningún provecho para usted.

KROGSTAD. ¿Provecho...? Yo usted, lo haría de todos modos.

SEÑORA LINDE. He aprendido a proceder con sensatez. La vida y la amarga necesidad me lo han enseñado.

KROGSTAD. Pues a mí la vida me ha enseñado a no creer en frases.

SEÑORA LINDE. Y le ha enseñado la vida una cosa muy sensata. Pero en hechos creerá usted, ¿no?

KROGSTAD. ¿Qué quiere usted insinuar?

SEÑORA LINDE. Me ha dicho que se encontraba como un náufrago agarrado a una tabla.

KROGSTAD. Tenía mis razones para hablar así.

SEÑORA LINDE. Yo también soy un náufrago agarrado a una tabla. No tengo a nadie por quien sufrir, nadie a quien consagrarme.

KROGSTAD. Usted misma lo ha querido.

SEÑORA LINDE. No podía elegir.

KROGSTAD. En fin, ¿qué más?

SEÑORA LINDE. Krogstad: ¿y si estos dos náufragos se unieran en la misma tabla?

KROGSTAD. ¿Qué dice usted?

SEÑORA LINDE. Dos náufragos en la misma tabla están mejor que cada uno en la suya.

KROGSTAD. ¡Cristina!

SEÑORA LINDE. ¿Por qué cree usted que he venido a la ciudad?

KROGSTAD. ¿Ha pensado usted en mí?

SEÑORA LINDE. Tengo que trabajar para soportar la vida. He trabajado siempre desde que tengo uso de razón, y esta ha sido mi mayor y única alegría. Pero ahora me encuentro sola en el mundo, sola en absoluto y abandonada. Trabajar para una misma no produce alegría. Krogstad, búsqueme alguien por quien poder trabajar...

KROGSTAD. No la creo a usted. Eso no es sino generosidad exaltada de mujer que quiere sacrificarse.

SEÑORA LINDE. ¿Me ha visto usted exaltada alguna vez?

KROGSTAD. ¿Sería usted de verdad capaz de hacer lo que dice?

SEÑORA LINDE. Sí.

KRNGSTAD. Dígame: ¿conoce usted bien mi pasado?

SEÑORA LINDE. Sí.

KROGSTAD. ¿Y sabe cómo me consideran aquí?

SEÑORA LINDE. Me parece haberle entendido hace poco que piensa que conmigo habría sido otro hombre.

KROGSTAD. De eso estoy bien seguro.

SEÑORA LINDE. ¿Y no podrá serlo todavía...?

KROGSTAD. ¡Cristina...! ¿Ha reflexionado despacio lo que dice...? ¡Sí, lo veo en su cara...! ¿Tendrá usted valor...?

SEÑORA LINDE. Necesito alguien a quien servir de madre. Sus hijos están tan necesitados de una... Nosotros también nos necesitamos el uno al otro. Krogstad, creo en su buen fondo... Con usted me atrevo a afrontarlo todo.

KROGSTAD. *(Cogiéndole las manos.)* Gracias, gracias, Cristina... Ahora sabré rehabilitarme... ¡Ah!, pero me olvidaba...

SEÑORA LINDE. *(Escuchando.)* ¡Chist!... ¡La tarantela...! ¡Váyase, váyase!

KROGSTAD. ¿Por qué...? ¿Qué pasa...?

SEÑORA LINDE. ¿Oye esa música? Cuando haya terminado, volverán...

KROGSTAD. Sí, ya me voy. Todo es inútil. Usted desconoce, naturalmente, el paso que he dado contra los Helmer.

SEÑORA LINDE. No, Krogstad; estoy enterada.

KROGSTAD. Y a pesar de eso, ¿tiene usted valor para...?

SEÑORA LINDE. Comprendo perfectamente hasta qué extremos lleva la desesperación a un hombre como usted.

KROGSTAD. ¡Ah!, si pudiera deshacer lo que he hecho...

SEÑORA LINDE. Puede deshacerlo; su carta sigue aún en el buzón.

KROGSTAD. ¿Está usted segura?

SEÑORA LINDE. Por completo; pero...

KROGSTAD. *(Con una mirada inquisitiva.)* ¿Será eso la explicación de todo...? Usted quiere salvar a alguien, no vuelve por mí. Le pediré que me devuelva la carta.

SEÑORA LINDE. ¡No, no!

KROGSTAD. ¡Pues no faltaba más! Esperaré a que baje Helmer y le diré que tiene que devolverme la carta... que sólo se trata de mi cesantía... y que no debe leerla...

SEÑORA LINDE. No, Krogstad; no pida usted esa carta.

KROGSTAD. Vamos, dígame: ¿no fue en realidad esa la razón por la que me citó aquí?

SEÑORA LINDE. Sí, con el sobresalto del primer momento... Pero han pasado veinticuatro horas, y durante ese tiempo he sido testigo de cosas increíbles en esta casa. Helmer debe enterarse de todo. Es indispensable una explicación entre los dos; tantos pretextos y ocultaciones tienen que desaparecer de una vez.

KROGSTAD. ¡Vaya! Si usted se atreve a tomarlo por su cuenta... Pero se puede hacer una cosa, y ahora mismo...

SEÑORA LINDE. ¡Dése prisa! ¡Váyase...! Ha terminado la música; ya no estamos seguros ni un momento más...

KROGSTAD. La espero abajo.

SEÑORA LINDE. Conforme; puede acompañarme hasta la puerta de mi casa.

KROGSTAD. ¡Jamás en mi vida he sido tan indeciblemente feliz! *(Sale, dejando abierta la puerta de la antesala.)*

SEÑORA LINDE. *(Arregla un poco la habitación, y prepara su abrigo y su sombrero.)* ¡Qué giro han tomado las cosas! Ya tengo por quién trabajar... por quién vivir... un hogar al que llevar un poco de calor... ¡Claro que lo haré...! Pero, ¿no bajan todavía...? *(Escuchando.)* ¡Ah!, ya vienen. Me pondré el abrigo. *(Se pone el abrigo y el sombrero.)*

Se oyen las voces de los Helmer y el ruido de la llave en la cerradura. Entra Helmer trayendo casi a la fuerza a Nora. Esta aparece vestida con el traje italiano y un gran mantón negro sobre los hombros. Helmer viste de frac y va cubierto con un dominó negro también.

NORA. *(Desde la puerta, resistiéndose.)* No, no, no; aquí no. Quiero subir otra vez. No quiero marcharme tan temprano.

HELMER. Pero, mi querida Nora...

NORA. Te lo pido por favor, Torvaldo. ¡Te lo suplico...! ¡Solamente una hora!

HELMER. Ni un minuto, Norita. Ya sabes lo convenido. Vamos adentro; estás enfriándote aquí. *(A despecho de la resistencia de Nora, la conduce suavemente al salón.)*

SEÑORA LINDE. Buenas noches.

NORA. ¡Cristina!

HELMER. ¿Cómo, señora Linde? ¿Usted aquí tan tarde?

SEÑORA LINDE. Sí, perdón; ¡tenía tantas ganas de ver a Nora disfrazada!

NORA. ¿Has estado aquí esperándome?

SEÑORA LINDE. Sí. Desgraciadamente, no pude venir a tiempo; cuando llegué ya habías subido, y por mi parte, no quería irme sin verte.

HELMER. *(Quitándole a Nora el chal.)* Mírela bien. Creo que vale la pena. ¿No está maravillosa, señora Linde?

SEÑORA LINDE. Sí que está muy linda.

HELMER. Encantadora de bonita, ¿verdad? Esa ha sido también la opinión de todo el mundo en la fiesta. Pero es terriblemente testaruda. ¿Cómo remediarlo? Figúrese que he tenido que emplear la fuerza para traerla conmigo.

NORA. ¡Ah! Torvaldo, vas a arrepentirte de no haberme concedido media hora siquiera.

HELMER. Ya lo oye usted, señora. Ha bailado su tarantela con un gran éxito... por cierto, bien merecido, a pesar de que en la interpretación ha hecho demasiados alardes de naturalidad, vamos, algunos más de los estrictamente necesarios, según las exigencias del arte. Pero bueno, lo principal es que ha tenido éxito, un éxito rotundo. ¿Cómo iba yo a consentirle que permaneciera allí más tiempo? Hubiera echado a perder todo el efecto, ¡y eso sí que no!... Cogí del brazo a mi encantadora chiquilla de Capri: una vuelta por la sala, una inclinación a cada lado y, como dicen las novelas, se desvaneció la bella aparición. En los desenlaces siempre conviene el efecto, señora; pero no puedo inculcarle esto a Nora. ¡Uf, qué calor hace aquí! *(Tira el dominó sobre una silla y abre la puerta de su despacho.)* ¡Cómo! ¿No hay luz...? ¡Ah¡, sí, claro. Usted dispense. *(Entra y enciende dos bujías.)*

NORA. *(Sofocada, cuchicheando.)* ¿Qué hay?

SEÑORA LINDE. *(En voz baja.)* He hablado con él.

NORA. ¿Y qué?

SEÑORA LINDE. Nora... debes decírselo todo a tu esposo.

NORA. *(Con acento desmayado.)* Lo sabía...

SEÑORA LINDE. No tienes que temer nada de Krogstad; pero debes hablar.

NORA. No hablaré.

SEÑORA LINDE. En ese caso, hablará la carta por ti.

NORA. Gracias, Cristina; ahora ya sé lo que tengo que hacer. ¡Chist!... ¡Cállate!

HELMER. *(De vuelta.)* ¿Qué, señora, la ha admirado usted como deseaba?

SEÑORA LINDE. Sí, y ahora voy a despedirme.

HELMER. ¿Ya?... ¿Es suya esta labor?

SEÑORA LINDE. *(Recogiéndola.)* Gracias; por poco la olvido.

HELMER. ¿De modo que teje usted?

SEÑORA LINDE. Un poco.

HELMER. Debería usted bordar en vez de tejer.

SEÑORA LINDE. ¿Sí? ¿Por qué?

HELMER. Es mucho más bonito. Mire: se tiene la labor en la mano izquierda, y luego con la mano derecha, se lleva la aguja, haciendo una ligera curva. ¿No es así?...

SEÑORA LINDE. Sí, tal vez...

HELMER. Mientras que tejer resulta siempre antiestético. Mire: los brazos pegados al cuerpo, las agujas subiendo y bajando... parece un trabajo de chinos... ¡Oh, qué estupendo champán nos han servido!

SEÑORA LINDE. ¡Vaya! Nora, buenas noches, y no seas tan terca.

HELMER. ¡Bien dicho, señora Linde!

SEÑORA LINDE. Buenas noches, señor director.

HELMER. *(Acompañándola a la puerta.)* Buenas noches, buenas noches; espero que llegará bien a su casa. Yo, por supuesto, con mucho gusto... Pero como está tan cerca... Buenas noches, buenas noches. *(La Señora*

Linde sale. Helmer cierra la puerta y vuelve a mirar.) ¡Por fin nos la hemos quitado de encima! ¡Qué mujer más fastidiosa!

NORA. ¿No estás muy cansado, Torvaldo?

HELMER. No, en absoluto.

NORA. ¿No tienes sueño tampoco?

HELMER. Nada. Al contrario, me siento muy animado. ¿Y tú?... Tú sí que tienes cara de sueño.

NORA. Sí, estoy muy cansada. Enseguida me dormiré.

HELMER. ¿No ves como tenía razón para no querer estar más tiempo en el baile?

NORA. ¡Oh! Tú siempre tienes razón en todo.

HELMER. *(Le da un beso en la frente.)* Ya empieza a hablar la alondra como una persona. Dime: ¿te fijaste en lo animado que estaba Rank esta noche?

NORA. ¡Ah!, ¿sí?... No he llegado a hablar con él.

HELMER. Yo apenas le ha hablado tampoco. Pero hace mucho tiempo que no lo veía de tan buen humor. *(La mira un rato y se acerca.)* ¡Qué alegría estar de regreso en casa, solo contigo...! ¡Oh, qué mujercita tan linda y tan deliciosa!

NORA. ¡No me mires así, Torvaldo!

HELMER. ¿Es que no puedo mirar mi más caro tesoro, toda esta hermosura que es mía y nada más que mía?

NORA. *(Corriéndose hacia la mesa.)* No me hables así esta noche...

HELMER. *(Mientras la sigue.)* ¡Cómo se nota que aún te bulle la tarantela en la sangre! Y eso te hace más seductora... ¡Escucha! Ya se van los invitados. *(Bajando la voz.)* Nora... Pronto quedará toda la casa en silencio.

NORA. Sí, eso espero.

HELMER. ¿Verdad, querida Nora?... ¡Oh!, cuando estamos en una fiesta... ¿sabes por qué te hablo tan poco, por qué permanezco lejos de ti, lanzándote sólo alguna que otra mirada disimulada? ¿Sabes por qué?... Porque entonces me imagino que eres mi amor secreto, mi joven y hermosa prometida, y que nadie sospecha lo que hay entre nosotros dos.

NORA. Sí, ya sé que todos tus pensamientos son para mí.

HELMER. Y al marcharnos, cuando echo el chal sobre tus delicados hombros, alrededor de esta nuca divina... me imagino que eres mi joven desposada, que volvemos de la boda, que por primera vez te traigo a mi hogar... que al fin estoy solo contigo, enteramente solo contigo, mi tierna hermosura temblorosa. Durante toda esta noche no he tenido otro deseo que tú. Cuando vi que perseguías, seducías y provocabas bailando la tarantela, empezó a hervirme la sangre, no pude resistir más, y por eso te hice salir tan de prisa.

NORA. Vete, Torvaldo. Déjame. No seas así.

HELMER. ¿A qué viene esa actitud? ¿Estás bromeando conmigo, Norita? Conque no quieres, ¿eh? ¿Acaso no soy tu marido?

Se oye llamar a la puerta exterior.

NORA. *(Se estremece.)* ¿Has oído?

HELMER. *(Pasando a la antesala.)* ¿Quién es?

DOCTOR RANK. *(Desde fuera.)* Soy yo. ¿Puedo entrar un instante?

HELMER. *(Molesto, en voz baja.)* ¡A quién se le ocurre...! ¿Qué querrá ahora? *(Sube la voz.)* Aguarda un momento. *(Abre la puerta.)* Es una atención eso de que no pases ante nuestra puerta sin llamar.

DOCTOR RANK. Me ha parecido oír tu voz y se me ha antojado entrar a hacerles una visita. *(Pasea una ojeada en torno suyo.)* ¡Ah, este es el hogar familiar y querido! ¡Qué agradable y qué acogedor! ¡Son ustedes felices!

HELMER. Pues tú también parecías pasarlo muy a gusto ahí arriba.

DOCTOR RANK. ¡Magníficamente! ¿Y por qué no divertirme? ¿Por qué no disfrutarlo todo en este mundo? Por lo menos, todo lo que se pueda, y mientras se pueda. El vino era excelente...

HELMER. En particular, el champán.

DOCTOR RANK. ¿Tú también lo has notado? Es asombroso la cantidad que he tomado.

NORA. Torvaldo también ha bebido mucho champán esta noche.

DOCTOR RANK. ¿Sí?

NORA. Sí, y después se pone tan alegre...

DOCTOR RANK. ¡Caramba!, ¿por qué no va uno a pasar una velada agradable después de un día bien empleado?

HELMER. Hoy, por desgracia, no me atrevo a vanagloriarme de que haya sido bien empleado el día.

DOCTOR RANK. Yo sí, ¿sabes?

NORA. Doctor, hoy, de seguro, ha estado usted haciendo alguna investigación científica...

DOCTOR RANK. Sí, es verdad.

HELMER. ¡Hombre! ¡Norita hablando de investigaciones científicas!

NORA. ¿Y puedo felicitarlo por el resultado?

DOCTOR RANK. Ya lo creo.

NORA. Entonces, ¿fue bueno?

DOCTOR RANK. El mejor posible, tanto para el médico como para el paciente: la verdad.

NORA. *(Precipitadamente, en tono escrutador.)* ¿La verdad?

DOCTOR RANK. Una verdad absoluta. Después de todo, ¿por qué no iba a permitirme pasar una noche alegre?

NORA. Ha hecho usted muy bien, doctor.

HELMER. Lo mismo digo, siempre que no pagues las consecuencias el día de mañana.

DOCTOR RANK. Todo se paga en esta vida.

NORA. Doctor... ¿le gustan a usted mucho los bailes de máscaras?

DOCTOR RANK. Sí, cuando abundan los trajes divertidos...

NORA. Oiga: ¿de qué vamos a disfrazarnos usted y yo para el próximo baile?

HELMER. ¡Qué caprichosa! ¿Ya estás pensando en el próximo baile?

DOCTOR RANK. ¿Usted y yo...? Pues verá: usted de mascota...

HELMER. Ahora falta ver cómo concibes un disfraz de mascota.

DOCTOR RANK. Deja a tu mujer presentarse como va todos los días...

HELMER. ¡Bravo! ¿Y tú, no has pensado cómo vas a ir?

DOCTOR RANK. Sí, amigo mío; ya lo tengo pensado.

HELMER. ¿Cómo?

DOCTOR RANK. En el próximo baile de máscaras yo seré invisible.

HELMER. ¡Qué idea tan cómica!

DOCTOR RANK. Existe un gran sombrero negro... ¿No has oído hablar del sombrero que hace invisible? Cuando te lo pones no te ve nadie.

HELMER. *(Disimulando una sonrisa.)* Eso sí, no cabe duda.

DOCTOR RANK. Pero olvidaba por completo a qué he venido. Helmer, dame un tabaco, uno de tus habanos negros.

HELMER. *(Le ofrece la tabaquera.)* Con mucho gusto.

DOCTOR RANK. *(Tomando un tabaco y cortándole la punta.)* Gracias.

NORA. *(Prende un fósforo.)* Permítame que se lo encienda.

DOCTOR RANK. Muchas gracias. *(Nora acerca el fósforo para encenderlo.)* Y ahora... ¡adiós!

HELMER. Adiós, adiós, amigo mío.

NORA. Descanse bien, doctor Rank.

DOCTOR RANK. Agradezco sus buenos deseos.

NORA. Deséeme usted otro tanto.

DOCTOR RANK. ¿A usted? Puesto que lo quiere... descanse bien. Y gracias por el fuego. *(Saluda y sale.)*

HELMER. *(Con voz suave.)* Ha bebido bastante.

NORA. Es posible. *(Helmer saca sus llaves del bolsillo y se dirige a la antesala.)* Torvaldo... ¿qué vas a hacer?

HELMER. Quiero vaciar el buzón, está muy lleno; no va a haber sitio para los periódicos mañana por la mañana...

NORA. ¿Vas a trabajar esta noche?

HELMER. Ya sabes que no... Pero ¿qué es esto? Alguien ha andado en la cerradura.

NORA. ¿En la cerradura?

HELMER. ¿Qué podrá ser? No puedo creer que las sirvientas... Aquí hay un gancho de pelo... ¡Nora, es tuyo!

NORA. *(Azorada.)* Habrán sido los niños...

HELMER. Tienes que quitarles esa costumbre. ¡Hum!... Ya he conseguido abrirlo. *(Saca el contenido, y llama hacia la cocina.)* ¡Elena..., Elena! Apaga esta lámpara del vestíbulo. *(Vuelve a entrar en el salón, cerrando la puerta de la antesala, con las cartas en la mano.)* Mira, ya ves qué montón... *(Examinando los sobres.)* ¿Qué hay aquí?

NORA. *(Junto a la ventana.)* ¡La carta! ¡No, Torvaldo, no!

HELMER. Dos tarjetas de... Rank.

NORA. ¿De Rank?

HELMER. *(Leyéndolas.)* Rank, doctor en medicina. Estaban encima de todo. Las habrá echado al marcharse.

NORA. ¿Tiene algo escrito?

HELMER. Hay una cruz encima del nombre. Míralo. ¡Qué ocurrencia! Es como si anunciara su propia muerte.

NORA. Es lo que hace exactamente.

HELMER. ¿Qué? ¿Sabes algo? ¿Te ha dicho algo?....

NORA. Sí. Esas tarjetas indican que se ha despedido de nosotros. Quiere encerrarse para morir.

HELMER. ¡Pobre amigo mío! Sospechaba que iba a faltarme dentro de muy poco tiempo. Pero ¡tan pronto!... Y va a esconderse como un animal herido!

NORA. Si ha de suceder, más vale que sea sin palabras. ¿Verdad, Torvaldo?

HELMER. *(Pensando.)* ¡Estaba tan unido a nosotros!... Me cuesta trabajo creer que vayamos a perderlo. Con sus achaques y su retraimiento constituía el fondo sombrío de nuestra resplandeciente felicidad... Al fin y al cabo, quizá sea lo mejor... Para él, al menos. *(Se detiene.)* Y puede que también para nosotros, Nora. Ahora nos debemos exclusivamente el uno al otro. *(La abraza.)* ¡Oh, adorada mujercita! Parece que nunca te estrecharé bastante. Figúrate, Nora... muchas veces desearía que te amenazara un peligro inminente para poder arriesgar mi vida, mi sangre y todo por ti...

NORA. *(Desasiéndose, con voz firme y decidida.)* Lee las cartas, Torvaldo.

HELMER. No, no; esta noche, no. Quiero estar contigo, mi adorada criatura.

NORA. ¿Con la idea de la muerte de tu amigo?...

HELMER. Tienes razón. Nos ha afectado a los dos. Se ha interpuesto entre nosotros una cosa aborrecible: la imagen de la muerte y de la disolución. Hemos de deshacernos de ella. Hasta entonces... nos retiraremos cada uno por su lado...

NORA. *(Abrazándose a su cuello.)* ¡Buenas noches, Torvaldo... buenas noches!

HELMER. *(Besándola en la frente.)* ¡Buenas noches, pajarito cantor! Que descanses, Nora. Voy a leer las cartas. *(Pasa a su despacho con la correspondencia, cerrando la puerta.)*

NORA. *(Tantea en torno suyo con ojos extraviados, coge el dominó de Helmer y se envuelve en él, mientras murmura, con voz ronca y entrecortada.)* ¡No volver a verlo jamás! ¡Jamás, jamás, jamás! *(Echándose el chal por la cabeza.)* Y los niños... no volveré a verlos tampoco nunca... ¡Oh!, el agua helada... y negra... ¡Ah! ¡Si todo hubiera pasado ya!... Ahora la abre, la estará leyendo... No, no, todavía no. ¡Adiós, Torvaldo!... ¡Adiós, hijos míos!

Se lanza hacia la antesala; pero en el mismo instante, Helmer abre violentamente la puerta de su despacho, y aparece con una carta desplegada en la mano.

HELMER. ¡Nora!

NORA. *(Profiriendo un grito agudo.)* ¡Ah!

HELMER. ¿Qué significa esto?... ¿Sabes lo que dice esta carta?

NORA. Sí, lo sé. ¡Deja que me marche! ¡Déjame salir!

HELMER. ¿Adónde vas? *(Reteniéndola.)*

NORA. *(Intentando desprenderse.)* No debes salvarme, Torvaldo.

HELMER. *(Retrocede tambaleándose.)* ¡Luego, es verdad lo que dice! ¡Dios mío! ¡No es posible!...

NORA. Es verdad. Te he amado sobre todas las cosas.

HELMER. ¡No más ridiculeces!

NORA. *(Dando un paso hacia él.)* ¡Torvaldo!...

HELMER. ¡Desgraciada!... ¿Qué has hecho?

NORA. Déjame marchar. Tú no vas a llevar el peso de mi falta. No debes hacerte responsable de mi culpa.

HELMER. ¡Basta de comedias! *(Cierra con llave la puerta de la antesala.)* Te quedarás aquí a rendirme cuentas. ¿Comprendes lo que has hecho? ¡Respóndeme! ¿Lo comprendes?...

NORA. *(Mirándolo fija, con una expresión creciente de rigidez.)* Sí; ahora es cuando realmente empiezo a comprender...

HELMER. *(Paseándose.)* ¡Qué horrible despertar! ¡Durante ocho años... ella, que era mi alegría, mi orgullo... una hipócrita... una impostora, peor aún, una criminal!... ¡Oh, Dios! ¡Qué abismo de monstruosidad hay en todo esto! ¡Qué bajeza! *(Nora continúa mirándolo, sin hablar. Él se detiene ante ella.)* Debía haber presentido lo que iba a ocurrir. Con la ligereza de principios de tu padre... Tú los has heredado. Falta de religión, falta de moral, falta de sentido del deber... ¡Oh!, bien castigado estoy por mi indulgencia con su conducta. Por ti lo hice, y así me correspondes.

NORA. Sí, así.

HELMER. Has destruido toda mi felicidad. Has arruinado todo mi porvenir... ¡Oh!, da espanto pensarlo. Estoy en manos de un hombre sin conciencia que puede hacer de mí cuanto quiera, exigirme lo que sea, sin que yo me atreva a protestar. ¡Y tener que hundirme tan miserablemente por culpa de una mujer indigna!

NORA. Cuando yo desaparezca del mundo, serás libre.

HELMER. Déjate de frases huecas. Tu padre tenía también una provisión de frases parecidas a mano. ¿De qué me serviría que abandonaras el mundo? De nada. En todo caso, puede hacerse público el asunto, y entonces sospecharán que yo estaba enterado de tu delito. Hasta pueden creer que te apoyé... que te induje a cometerlo. ¡Y pensar que esto te lo debo agradecer a ti! ¡A ti, a quien he mimado hasta la exageración durante toda nuestra vida matrimonial! ¿Comprendes ya el daño que me has hecho?

NORA. *(Con fría tranquilidad.)* Sí.

HELMER. Es algo tan increíble, que no me cabe en la cabeza. Tenemos que adoptar una resolución. ¡Quítate ese dominó!... ¡Que te lo quites, digo!... Tengo que satisfacerlo en una forma u otra. Hay que ahogar el asunto sea como sea... En cuanto a ti y a mí, haremos como si nada hubiera cambiado. Sólo a los ojos de los demás, por supuesto. Seguirás aquí, en casa, como es lógico. Pero no te permitiré educar a los niños; no me atrevo a confiártelos... ¡Ah, tener que decírselo a quien tanto he amado y a quien todavía...! ¡Vaya!, esto debe acabar. Desde hoy no se trata ya de nuestra felicidad; se trata exclusivamente de salvar los restos, los despojos, las apariencias... *(Suena la campanilla, y Helmer se estremece.)* ¿Qué será? ¡Tan tarde!... Sólo faltaría que... ¿Acaso habrá ese hombre...? ¡Escóndete, Nora! Diré que estás enferma.

Nora no se mueve. Helmer se dirige a abrir la puerta.

ELENA. *(A medio vestir, en la antesala.)* Ha llegado una carta para la señora.

HELMER. Dámela. *(Coge la carta y cierra la puerta.)* Sí, es de él. Pero no te la entregaré; quiero leerla yo mismo.

NORA. Léela.

HELMER. *(Acercándose a la lámpara.)* Casi no tengo valor. Quizá estemos perdidos tú y yo... No; he de saberlo. *(Rompe precipitadamente el sobre, lee algu-*

nas líneas, examina un papel adjunto, y lanza un grito de alegría.) ¡Nora! *(Nora lo mira interrogante.)* ¡Nora!... No; voy a volver a leerlo... Sí, eso es. ¡Estoy salvado! ¡Nora, estoy salvado!

NORA. ¿Y yo?

HELMER. Tú igual, naturalmente; los dos estamos salvados, tú y yo. Te devuelve el recibo. Dice que se arrepiente... Un cambio feliz en su vida... Bueno; ¡qué importa lo que diga! ¡Estamos salvados, Nora! Ya nadie puede hacerte nada... ¡Ah!, Nora... primero hay que desentenderse de todas estas abominaciones. Vamos a ver. *(Echa una ojeada al recibo.)* No, no quiero verlo; supondré que todo ha sido una pesadilla. *(Rompe las dos cartas y el recibo, arrojándolo todo a la estufa, y contempla cómo arden los pedazos.)* ¡Vaya!, se acabó todo... ¡Oh, qué tres días más horribles habrás vivido, Nora!

NORA. Sí; durante tres días he sostenido una lucha atroz.

HELMER. ¡Lo que habrás sufrido, sin ver otra salida que...! ¡No!, olvidemos todos estos sinsabores. Sólo debemos alegrarnos y repetir de continuo: «ya pasó, ya pasó»... Pero, mujer, Nora, óyeme; parece que no has comprendido... ¡Vamos! ¿Qué es eso... esa cara tan compungida...? ¡Oh!, ya comprendo, ¡pobrecita! No puedes creer que te haya perdonado. Créelo, Nora; te lo juro: estás por completo perdonada. Bien sé que lo has hecho por amor a mí.

NORA. Así es.

HELMER. Me has amado como una esposa debe amar a su marido. Únicamente te faltó discernimiento en la elección de medios. ¿Crees que te quiero menos por eso, porque no sabes conducirte a ti misma?... No tienes más que apoyarte en mí, te guiaré. Dejaría yo de ser un hombre si tu incapacidad de mujer no te hiciera el doble de atractiva a mis ojos. Olvida las duras palabras que te he dirigido en el primer arrebato, cuando creía que todo iba a derrumbarse sobre mí. Te he perdonado, Nora; te juro que te he perdonado.

NORA. Agradezco tu perdón. *(Sale por la derecha.)*

HELMER. No; quédate. *(Siguiéndola con la mirada.)* ¿Qué haces en el cuarto?

NORA. *(Desde dentro.)* Quitándome el disfraz.

HELMER. *(A la puerta.)* Sí, está bien; procura tranquilizarte y reponerte, pajarito asustado. Descansa tranquila; yo tengo alas lo bastante grandes para cobijarte. *(Paseándose, sin alejarse de la puerta.)* ¡Oh, qué hogar tan tranquilo y acogedor! Aquí estás segura; te guardaré como a una paloma perseguida a quien hubiese sacado sana y salva de las garras del gavilán. Lograré tranquilizar tu pobre corazón palpitante. Poco a poco lo conseguiré. Nora, créeme. Mañana lo verás todo de otra manera. Pronto volverá todo a ser como antes, y no habrá necesidad de repetirte que te he perdonado, porque, sin duda, lo advertirás por ti misma. ¿Cómo puedes pensar que me pasara por la imaginación repudiarte ni recriminarte por nada? ¡Ah!, Nora, no conoces la bondad de un verdadero hombre. ¡Le es tan dulce perdonar a su propia mujer cuando lo hace de corazón! Es como si fuese dos veces suya, como si hubiera vuelto a traerla al mundo, y ya no ve en ella sólo su mujer, sino también a su hija. Eso es lo que vas a ser para mí desde hoy, criatura inexperta. No temas nada, Nora; sé franca conmigo, y yo supliré tu voluntad y tu conciencia... Pero ¿qué es eso? ¿No te acuestas? ¿Te has cambiado de ropa?

NORA. *(Que entra vestida de diario.)* Sí, Torvaldo, me he cambiado de ropa.

HELMER. ¿Por qué? ¿A esta hora, tan tarde?

NORA. Esta noche no pienso dormir.

HELMER. Pero, querida Nora...

NORA. *(Mirando su reloj.)* Aún no es muy tarde. Siéntate, Torvaldo. Vamos a hablar. *(Se sienta a un lado de la mesa.)*

HELMER. Nora... ¿qué pasa? Esa cara tan grave...

NORA. Siéntate; va a ser largo. Tengo mucho que decirte.

HELMER. *(Sentándose frente a ella.)* Me inquietas, Nora. No acabo de comprenderte.

NORA. No; eso es realmente lo que pasa: no me comprendes. Y yo nunca te he comprendido tampoco... hasta esta noche. No, no me interrumpas. Vas a escuchar todo lo que yo te diga... Vamos a ajustar nuestras cuentas, Torvaldo.

HELMER. ¿Qué entiendes por eso?

NORA. *(Después de un corto intervalo.)* Estamos aquí sentados uno frente a otro. ¿No te extraña nada?

HELMER. ¿Qué?

NORA. Llevamos ocho años de casados. ¿No te das cuenta de que hoy es la primera vez que tú y yo, marido y mujer, hablamos con seriedad?

HELMER. ¿Qué quieres decir?

NORA. ¡Ocho años... más todavía! Desde que nos conocimos no hemos tenido una sola conversación seria.

HELMER. ¿Es que debía yo hacerte confidente de mis preocupaciones, que tú, a pesar de todo, no podías ayudarme a resolver?

NORA. No me refiero a preocupaciones. Estoy diciéndote que nunca hemos hablado en serio, que nunca hemos intentado llegar juntos al fondo de las cosas.

HELMER. Pero, querida Nora, ¿te habría interesado hacerlo?

NORA. De eso mismo se trata. Tú no me has comprendido jamás. Se han cometido muchos errores conmigo, Torvaldo. Primeramente, por parte de papá, y luego, por parte tuya.

HELMER. ¡Cómo! ¿Por parte de nosotros dos... que te hemos querido más que nadie?

NORA. *(Haciendo un gesto negativo con la cabeza.)* Nunca me quisieron. Les resultaba agradable sentir un capricho por mí, nada más.

HELMER. Pero, Nora, ¿qué palabras son esas?

NORA. La pura verdad, Torvaldo. Cuando vivía con papá, él me confiaba todas sus ideas, y yo las seguía. Si tenía otras diferentes, no podía decirlas, porque no le habría gustado. Me llamaba su muñequita, y jugaba conmigo, ni más ni menos que yo con mis muñecas. Después vine a esta casa contigo...

HELMER. ¡Qué términos empleas para hablar de nuestro matrimonio!...

NORA. *(Sin inmutarse.)* Quiero decir que pasé de manos de papá a las tuyas. Tú me formaste a tu gusto, y yo participaba de él... o lo fingía... no lo sé con exactitud; creo que más bien lo uno y lo otro. Cuando ahora miro hacia atrás, me parece que he vivido aquí como una pobre..., al día. Vivía de hacer piruetas para divertirte, Torvaldo. Como tú querías. Tú y papá han cometido un gran error conmigo; son culpables de que no haya llegado a ser nunca nada.

HELMER. ¡Qué injusta y desgraciada eres, Nora! ¿No has sido feliz aquí?

NORA. No, nunca. Creí serlo; pero no lo he sido jamás.

HELMER. ¿No... que no has sido feliz?

NORA. No; sólo estaba alegre, y eso es todo. Eras tan bueno conmigo... Pero nuestro hogar no ha sido más que una casa de muñecas. He sido una muñeca grande en esta casa, como fui una muñeca pequeña en casa de papá. Y a su vez los niños han sido mis muñecos. Me divertía que jugaras conmigo, como a los niños verme jugar con ellos. He aquí lo que ha sido nuestro matrimonio, Torvaldo.

HELMER. Hay algo de verdad en lo que dices... aunque muy exagerado. Pero desde hoy todo cambiará; ya han pasado los tiempos de jugar y ha llegado la hora de la educación.

NORA. ¿La educación de quién? ¿La mía o la de los niños?

HELMER. La tuya y la de los niños, Nora.

NORA. ¡Ay!, Torvaldo, tú no eres capaz de educarme, de hacer de mí la esposa que necesitas.

HELMER. ¿Y me lo dices tú?

NORA. ¿Y yo... qué preparación tengo para educar a los niños?

HELMER. ¡Nora!

NORA. ¿No has dicho tú mismo hace un momento que es una misión que no te atreves a confiarme...?

HELMER. Estaba excitado... ¿Cómo puedes pensar en eso?

NORA. ...Y tenías razón. Es una labor superior a mis fuerzas. Hay otra de la que debo ocuparme antes. Debo procurar educarme a mí misma. Tú no eres capaz de ayudarme en esta tarea. Para eso necesito estar sola. Y por esa razón voy a dejarte.

HELMER. *(Se levanta de un brinco.)* ¿Qué dices?

NORA. Necesito estar completamente sola para orientarme sobre mí misma y sobre lo que me rodea. No puedo quedarme más contigo.

HELMER. ¡Nora, Nora!

NORA. Quiero marcharme en el acto. Supongo que Cristina me dejará pasar la noche en su casa...

HELMER. ¿Has perdido el juicio...? ¡No te lo permito! ¡Te prohíbo...!

NORA. Después de lo que ha pasado, es inútil que me prohíbas algo. Me llevo todo lo mío. De ti no quiero nada, ni ahora ni nunca.

HELMER. ¿Qué locura es esa?

NORA. Mañana salgo para mi casa... es decir, para mi tierra. Allí me será más fácil encontrar un empleo.

HELMER. ¡Qué ciega estás, criatura sin experiencia!

NORA. Ya procuraré adquirir experiencia, Torvaldo.

HELMER. ¡Abandonar tu hogar, tu marido, tus hijos...! ¿Y no piensas en el qué dirán?

NORA. No puedo pensar en esos detalles. Sólo sé que es indispensable para mí.

HELMER. ¡Oh, es odioso! ¡Traicionar así los deberes más sagrados!

NORA. ¿A qué llamas tú los deberes más sagrados?

HELMER. ¿Habrá que decírtelo? ¿No tienes deberes con tu marido y tus hijos?

NORA. Tengo otros deberes no menos sagrados.

HELMER. No los tienes. ¿Qué deberes son esos?

NORA. Mis deberes conmigo misma.

HELMER. Ante todo eres esposa y madre.

NORA. Ya no creo en eso. Creo que ante todo soy un ser humano, igual que tú... o, al menos, debo intentar serlo. Sé que la mayoría de los hombres te darán la razón, y que algo así está escrito en los libros. Pero ahora no puedo conformarme con lo que está escrito en los libros. Tengo que pensar por mi cuenta en todo esto y tratar de comprenderlo.

HELMER. Pero, ¿no te das cuenta de cuál es tu puesto en tu propio hogar? ¿No tienes un guía infalible para estos dilemas? ¿No tienes la religión?

NORA. ¡Ay, Torvaldo! No sé lo que es la religión.

HELMER. ¿Cómo que no?

NORA. Sólo sé lo que me dijo el pastor Hansen cuando me preparaba para la confirmación. Dijo que la religión era esto, aquello y lo de más allá. Cuando esté sola y libre, examinaré también ese asunto. Y veré si era cierto lo que decía el pastor, o cuando menos, si era cierto para mí.

HELMER. ¡Oh, es inaudito en una mujer tan joven...! Pero, si la religión no puede guiarte, déjame explorar tu conciencia. Porque, supongo que tendrás algún sentido moral. ¿O es que tampoco lo tienes? ¡Responde...!

NORA. No sé qué responder, Torvaldo. Lo ignoro. Estoy desorientada por completo en estas cuestiones. Lo único que sé es que tengo una opinión absolutamente distinta a la tuya. También he llegado a saber que las leyes no son como yo pensaba; pero no logro comprender que estas leyes sean justas. ¡Cómo no va a tener una mujer derecho a evitar una molestia a su padre moribundo, ni a salvar la vida de su esposo! ¡No puedo creerlo!

HELMER. Hablas como una niña. No comprendes nada de la sociedad en que vivimos.

NORA. No, seguro. Pero ahora quiero tratar de comprenderlo y averiguar a quién asiste la razón, si a la sociedad o a mí.

HELMER. Estás enferma, Nora; tienes fiebre y casi temo que no te funcione bien el cerebro.

NORA. Jamás me he sentido tan despejada y segura como esta noche.

HELMER. ¿Y con esa lucidez y esa seguridad abandonas a tu marido y a tus hijos?

NORA. Sí.

HELMER. Entonces no hay más que una explicación posible.

NORA. ¿Cuál?

HELMER. Que ya no me amas.

NORA. No, en efecto.

HELMER. ¡Nora...! ¿Y me lo dices así?

NORA. Lo lamento, Torvaldo, porque has sido siempre bueno conmigo... Pero no lo puedo remediar; ya no te amo.

HELMER. *(Haciendo esfuerzos por dominarse.)* Por lo visto, también de eso estás perfectamente convencida...

NORA. Sí, perfectamente, y por eso no quiero quedarme aquí ni un instante más.

HELMER. ¿Y puedes decirme cómo he perdido tu amor?

NORA. Con toda sencillez. Ha sido esta noche, al ver que no se realizaba el milagro esperado. Entonces comprendí que no eras el hombre que yo me imaginaba.

HELMER. Es preciso algo más.

NORA. He esperado durante ocho años con paciencia. De sobra sabía, Dios mío, que los milagros no se realizan tan a menudo. Por fin llegó el momento angustioso, y me dije con toda certeza: Ahora va a venir el milagro. Cuando la carta de Krogstad estaba en el buzón, ni siquiera pude imaginarme que fueras capaz de doblegarte a las exigencias de ese hombre. Estaba firmemente persuadida de que le dirías: Vaya usted a contárselo a todo el mundo. Y cuando hubiera sucedido eso...

HELMER. ¡Cómo...! ¿Cuando yo hubiera entregado a mi propia esposa a la vergüenza y a la deshonra...?

NORA. ...Cuando hubiera sucedido eso, tenía la absoluta seguridad de que te habrías presentado a hacerte responsable de todo, diciendo: Yo soy el culpable.

HELMER. ¡Nora!

NORA. ¿Vas a añadir que yo jamás habría aceptado un sacrificio semejante? Claro que no. ¿Pero de qué habrían valido mis afirmaciones al lado de las tuyas...? Era ese el milagro que esperaba con tanta angustia. Y para evitarlo quería acabar con mi vida.

HELMER. Nora, por ti hubiera trabajado con alegría día y noche, hubiese soportado penalidades y privaciones.

Pero no hay nadie que sacrifique su honor por el ser amado.

NORA. Lo han hecho millares de mujeres.

HELMER. ¡Oh! Hablas y piensas como una chiquilla.

NORA. Puede ser. Pero tú no piensas ni hablas como el hombre a quien yo pueda unirme. Cuando te has repuesto del primer sobresalto, no por el peligro que me amenazaba, sino por el riesgo que corrías tú; cuando ha pasado todo, era para ti como si no hubiese ocurrido nada. Volví a ser tu alondra, tu muñequita, a la que tenías que llevar con mano más suave aún, ya que había demostrado ser tan frágil y endeble... *(Levantándose.)* Torvaldo, en ese mismo instante me he dado cuenta de que había vivido ocho años con un extraño. Y de que había tenido tres hijos con él... ¡Oh, no puedo pensar en eso siquiera! Me dan deseos de despedazarme...

HELMER. *(Sordamente.)* Lo veo... lo veo, en realidad, se ha abierto entre nosotros un abismo... Pero ¿no esperas, Nora, que pueda llenarse?

NORA. Así como soy ahora, no puedo ser una esposa para ti.

HELMER. Puedo transformarme yo...

NORA. Quizá... si te quitan tu muñeca.

HELMER. ¡Separarme..., separarme de ti! No, no, Nora, no puedo pensar en eso.

NORA. *(Saliendo por la puerta de la derecha.)* Razón de más para que así sea. *(Vuelve con el abrigo puesto y un maletín, que deja sobre una silla, cerca de la mesa.)*

HELMER. ¡Nora, Nora; todavía no! Aguarda a mañana.

NORA. *(Poniéndose el abrigo.)* No debo pasar la noche en casa de un extraño.

HELMER. Pero ¿no podemos vivir juntos como hermanos?...

NORA. *(Atándose el sombrero.)* Demasiado sabes que eso no duraría mucho... *(Se envuelve en el chal.)* Adiós, Torvaldo. No quiero ver a los niños. Sé que están en manos mejores que las mías. Dada mi situación, no puedo ser una madre para ellos.

HELMER. Pero ¿algún día, Nora... algún día...?

NORA. ¿Cómo voy a saberlo? Si hasta ignoro lo que va a ser de mí...

HELMER. Pero eres mi esposa, sea de ti lo que sea.

NORA. Escucha, Torvaldo. He oído decir que, según las leyes, cuando una mujer abandona la casa de su marido, como yo lo hago, está él exento de toda obligación con ella. De cualquier modo, te eximo yo. No debes quedar ligado por nada, como tampoco quiero quedarlo yo. Ha de existir plena libertad por ambas partes. Toma, aquí tienes tu anillo. Dame el mío.

HELMER. ¿También eso?

NORA. Sí.

HELMER. Aquí lo tienes.

NORA. Bien. Ahora todo ha acabado. Toma las llaves. Las sirvientas están al corriente de cuanto respecta a la casa... mejor que yo. Mañana, cuando me haya marchado, vendrá Cristina a recoger lo que traje de mi casa. Quiero que me lo envíen.

HELMER. ¡Todo ha terminado! Nora, ¿no pensarás en mí nunca más?

NORA. Seguramente pensaré a menudo en ti, en los niños, en la casa.

HELMER. ¿Puedo escribirte, Nora?

NORA. ¡No, jamás! Te lo prohíbo.

HELMER. O por lo menos, enviarte...

NORA. Nada, nada.

HELMER. ...ayudarte, en caso de que lo necesites.

NORA. He dicho que no, pues no aceptaría nada de un extraño.

HELMER. Nora... ¿no seré ya más que un extraño para ti?

NORA. *(Recogiendo su maletín.)* ¡Ah, Torvaldo! Tendría que realizarse el mayor de los milagros.

HELMER. Dime cuál.

NORA. Tendríamos que transformarnos los dos hasta el extremo de... ¡ay, Torvaldo! ¡No creo ya en los milagros!

HELMER. Pero yo sí quiero creer en ellos. Di: ¿transformarme hasta el extremo de...?

NORA. ...hasta el extremo de que nuestra unión llegara a convertirse en un verdadero matrimonio. Adiós. *(Sale por la antesala.)*

HELMER. *(Desplomándose en una silla, cerca de la puerta, oculta el rostro entre las manos.)* ¡Nora, Nora! *(Mira en torno suyo, y se levanta.)* Nada. Ha desaparecido para siempre. *(Con un rayo de esperanza.)* ¡El mayor de los milagros!...

Se oye abajo la puerta del portal, al cerrarse.

TELÓN

Clementina Otero interpretando a Hedda Gabler, bajo la dirección de X. Villaurrutia.

HEDDA GABLER

Drama en cuatro actos

(1890)

PERSONAJES

JORGE TESMAN, doctor en estudios culturales

HEDDA TESMAN, su esposa

JULIA TESMAN, tía de Jorge

THEA ELVSTED

BRACK, asesor

EJLERT LOVBORG

BERTA, criada del matrimonio Tesman

La acción, en la villa de los Tesman, al oeste de la ciudad.

ACTO PRIMERO

La escena representa un salón espacioso, amueblado con gusto y decorado en tonos sombríos. Al foro, puerta ancha con cortinas descorridas. Esta puerta conduce a una habitación pequeña, amueblada al estilo del salón. En el lateral derecho hay otra puerta de dos hojas que conduce al vestíbulo. En el lateral izquierdo, otra, de cristales, también con cortinas descorridas. A través de estas puertas de cristales se ve parte de una terraza cubierta y árboles de colorido otoñal. En el centro del salón hay una mesa ovalada, con tapete, y alrededor, varias sillas. En primer término, a la derecha, una estufa de porcelana oscura[1]*, un sillón de respaldo alto, un cojín para los pies y dos taburetes. Al fondo, en el ángulo de la derecha, sofá de rinconera y mesita redonda. En primer término, a la izquierda y un poco separado de la pared, otro sofá. Más hacia el fondo, pasada la puerta vidriera, un piano. A ambos lados de la puerta del foro hay unas repisas con figuritas de barro cocido y cerámica. En la segunda habitación, de manera visible desde el salón, un sofá, una mesa y dos sillas. Por encima del sofá cuelga el retrato de un hombre de edad, de buen aspecto, con uniforme de general. Sobre la mesa pende una lámpara con pantalla mate de color lechoso. En varios lugares del salón, ramos de flores en floreros y búcaros. También hay ramos tirados por las mesas. Los suelos de ambas habitaciones están guarnecidos de grue-*

[1] De las llamadas suecas, muy comunes en Noruega.

sas alfombras. Luz matinal. Penetra el sol por la puerta de cristal.

En el salón entra la Señorita Tesman, con sombrero y sombrilla, seguida de Berta, que lleva un ramo de flores envuelto en papel. La Señorita Tesman aparenta unos sesenta y cinco años; ofrece aspecto afable y viste un sencillo traje sastre gris. Berta es una criada de alguna edad, con aspecto ordinario y rústico.

SEÑORITA TESMAN. *(Se detiene en la puerta, escucha y dice en voz baja:)* No; por lo visto, no se han levantado aún, efectivamente.

BERTA. *(En voz baja también.)* Ya se lo decía a la señorita. Figúrese: el vapor llegó anoche tan tarde... Y después, ¡Jesús, lo que se le antojó a la señora sacar de las maletas antes de acostarse!

SEÑORITA TESMAN. ¡Vaya, vaya!, dejémoslos descansar a su gusto. Pero conviene que respiren el fresco de esta mañana cuando vengan. *(Se dirige a la puerta vidriera y la abre de par en par.)*

BERTA. *(Al lado de la mesa, indecisa, con el ramo en la mano.)* La verdad es que ya no queda sitio. Me parece que tendré que ponerlo aquí, señorita. *(Coloca el ramo encima del teclado del piano.)*

SEÑORITA TESMAN. Bueno, querida Berta; ahora tienes señores nuevos. ¡Bien sabe Dios lo difícil que me es prescindir de ti!

BERTA. *(A punto de llorar.)* Y a mí, señorita. ¿Qué diré yo, entonces? Yo, que durante tantos años he comido el pan de las señoritas...

SEÑORITA TESMAN. Debemos resignarnos, Berta. Al fin y al cabo, no hay más remedio. Jorge necesita tenerte en su casa, ¿comprendes? Eres indispensable. Como está acostumbrado a que lo atiendas desde que era un chiquillo...

BERTA. Sí, señorita. Pero ¡pienso tanto en la que está acostada en casa! La pobre, tan desvalida... ¡Y para colmo, esa muchacha nueva! Nunca en la vida aprenderá a servir a la enferma como es necesario.

SEÑORITA TESMAN. ¡Oh! Ya conseguiré adiestrarla. Además, yo misma hago casi todo, ¿sabes? De manera que no vayas a estar intranquila por mi pobre hermana, querida Berta.

BERTA. Sí; pero hay otra cosa, señorita: tengo mucho miedo de no contentar a la señora joven.

SEÑORITA TESMAN. ¡Dios mío!... Al principio quizás haya alguna deficiencia...

BERTA. Sí, porque debe de ser bastante exigente.

SEÑORITA TESMAN. Ya puedes suponerlo: ¡nada menos que la hija del general Gabler! Como estaba acostumbrada a tanto lujo en vida del general... ¿Recuerdas cuando iba a caballo junto a su padre por la carretera, con aquella larga amazona negra y una pluma en el sombrero?

BERTA. Sí, ya lo creo; lo recuerdo. Pero jamás hubiera podido imaginarme entonces que ella y el candidato[1] llegaran a casarse.

SEÑORITA TESMAN. Yo tampoco, aunque así es. Pero, antes que se me olvide, Berta: en lo sucesivo no debes llamar candidato a Jorge. Tienes que decirle doctor.

[1] Nombre dado a todo estudiante universitario, según costumbre de origen alemán.

BERTA. Sí; también habló de eso la señora anoche, tan pronto como llegó. ¿Conque es cierto, señorita?

SEÑORITA TESMAN. ¡Claro! Fíjate, Berta; le han dado el título de doctor durante su viaje por el extranjero. Yo no sabía nada de eso hasta que me lo dijo anoche en el muelle.

BERTA. Eso sí; podrá ser lo que quiera. ¡Con la inteligencia que tiene! Pero jamás hubiera creído que se dedicara a curar a la gente.

SEÑORITA TESMAN No, mujer; no es un doctor de esos. *(Hace un gesto significativo con la cabeza.)* Y puede que pronto tengas que darle otro tratamiento más importante todavía.

BERTA. ¿Más aún? ¿Qué será, señorita?

SEÑORITA TESMAN. *(Sonriendo.)* ¡Ejem!... ya lo sabrás... *(Conmovida.)* ¡Ay, Señor, si el difunto Joaquín levantara la cabeza y viera lo que ha llegado a ser su hijo! *(Mirando en torno suyo.)* Oye, Berta: ¿por qué has quitado todas las fundas de los muebles?

BERTA. Me lo mandó la señora. Dijo que no le gustaba ver los muebles enfundados.

SEÑORITA TESMAN. ¿Es que piensan utilizar esta habitación a diario?

BERTA. Por lo visto. Es cosa de la misma señora. Porque él..., el señor doctor, no dijo nada.

Jorge Tesman entra, canturreando, por el lateral derecho, en la habitación del fondo. Lleva una maleta vacía y abierta. Es hombre de estatura corriente, de unos treinta y tres años y aire juvenil, algo entrado en carnes, con cara redonda y jovial. El pelo y la barba rubios. Usa espejuelos y viste ropa de casa, cómoda y algo descuidada.

SEÑORITA TESMAN. Buenos días, Jorge, buenos días.

TESMAN. *(En el marco de la puerta.)* ¡Tía Julia! ¡Querida tía Julle![1] *(Se dirige a ella y le estrecha las manos.)* ¡Venir hasta aquí tan temprano!, ¿eh?

SEÑORITA TESMAN. Ya supondrás que no podía menos de echar un vistazo a la casa de ustedes.

TESMAN. ¡Y eso, a pesar de que no habrás dormido mucho anoche!

SEÑORITA TESMAN. ¡Bah!, la cosa no tiene ninguna importancia para mí.

TESMAN. Llegarías bien desde el muelle a casa, ¿eh?

SEÑORITA TESMAN. Sí, a Dios gracias. El asesor fue tan amable que me acompañó hasta la puerta.

TESMAN. Lamentamos mucho no poder llevarte en el coche; pero tú misma lo viste, Hedda traía consigo tantos bultos, que podían estropearse.

SEÑORITA TESMAN. Verdaderamente, traía una enormidad de paquetes.

BERTA. *(A Tesman.)* ¿Debo entrar y preguntar a la señora si tengo que ayudarla en algo?

TESMAN. No, gracias, Berta; es inútil. Dijo que te llamaría cuando te necesitara.

BERTA. *(Se dirige hacia la derecha.)* Está bien.

TESMAN. Espera; toma esta maleta y llévatela.

BERTA. *(La coge.)* La pondré en la buhardilla. *(Sale por la puerta del vestíbulo.)*

[1] Diminutivo cariñoso de Julia.

TESMAN. Figúrate, tía; esa maleta estaba llena de apuntes y notas. Es increíble todo lo que he recopilado en los diferentes archivos. Cosas antiguas y raras, de las cuales nadie tenía noticia.

SEÑORITA TESMAN. ¡Ya, ya! Tú no habrás perdido el tiempo en tu viaje de boda, Jorge.

TESMAN. No; puedo alabarme de eso. Pero quítate el sombrero, tía. Déjame desatar los lazos, ¿eh?

SEÑORITA TESMAN. *(Mientras él lo hace.)* ¡Oh, Señor!... Esto es exactamente igual que cuando estabas en casa, con nosotras.

TESMAN. *(Dando vueltas al sombrero.)* ¡Y qué sombrero tan bonito y elegante llevas!

SEÑORITA TESMAN. Lo he comprado por Hedda.

TESMAN. ¿Por Hedda?

SEÑORITA TESMAN. Sí; para que Hedda no se avergüence de mí si salimos juntas.

TESMAN. *(Acariciándole la mejilla.)* Piensas en todo, tía Julle. *(Coloca el sombrero sobre una silla, al lado de la mesa.)* Oye, verás..., nos sentaremos aquí, en el sofá, y hablaremos hasta que venga Hedda.

Se sientan. Ella pone su sombrilla en una esquina del sofá.

SEÑORITA TESMAN. *(Coge las manos de su sobrino y se queda mirándolo.)* ¡Qué bendición es tenerte aquí en carne y hueso otra vez, ante mis ojos, Jorge! A ti, el hijo querido del difunto Joaquín.

TESMAN. Pero ¿y para mí? ¡Volver a verte, tía Julle! Tú, que has sido un padre y una madre para mí.

SEÑORITA TESMAN. Bien sé que seguirás queriendo a tus dos viejas tías.

TESMAN. ¿De modo que no ha tenido ninguna mejoría tía Rina?

SEÑORITA TESMAN. ¡Oh, no! La pobre no puede esperar mejoría alguna. Está acostada, lo mismo que hace ya tantos años. Concédame Nuestro Señor conservarla algún tiempo todavía, porque, si no..., no sabría qué hacer de mi vida, Jorge. Y más ahora que ya no tengo que ocuparme de ti.

TESMAN. *(Palmoteándole afectuosamente la espalda.)* ¡Vamos, vamos!

SEÑORITA TESMAN. *(Cambiando de tema bruscamente.)* Parece mentira, Jorge. Te has convertido en un hombre casado. Y además, has sido tú quien conquistó a Hedda Gabler, ¡la arrebatadora Hedda Gabler! Ya ves: ¡ella, que siempre estaba rodeada de admiradores!

TESMAN. *(Tararea y sonríe, satisfecho.)* Sí, por supuesto. Creo que bastantes buenos amigos me tendrán envidia en la ciudad, ¿eh?

SEÑORITA TESMAN. ¡Y por si era poco, poder hacer un viaje de novios tan largo! Más de cinco meses, casi seis.

TESMAN. Pero para mí ha sido una especie de viaje de estudios a la vez... ¡Cuántos archivos he podido consultar! ¡Y cuántos libros he leído, tía!

SEÑORITA TESMAN. Sí, ya es trabajo. *(Confidencial y en voz algo más baja.)* Pero oye, Jorge, ¿no tienes algo... algo así de particular que contarme?

TESMAN. . ¿Del viaje?

SEÑORITA TESMAN. Sí.

TESMAN. No. No hay nada más que lo que te he escrito en las cartas; que he recibido el grado de doctor..., y eso te lo dije ayer.

SEÑORITA TESMAN. Sí, ya lo sé. Pero... quiero decir si no tienes alguna... alguna esperanza.

TESMAN. ¿Esperanza?

SEÑORITA TESMAN. ¡Por Dios, Jorge!... ¿No soy tu vieja tía?

TESMAN. Pues sí que tengo esperanzas.

SEÑORITA TESMAN. ¡Ah!

TESMAN. Tengo las mejores esperanzas de que de un momento a otro, voy a ser catedrático.

SEÑORITA TESMAN. Sí, catedrático, eso es...

TESMAN. Te diré aún más: tengo la seguridad de serlo. Pero, querida tía Julle, eso lo sabes de sobra.

SEÑORITA TESMAN. *(Sonriendo.)* Sí, lo sé. Tienes razón. *(Cambia de tono.)* El caso es que estábamos hablando del viaje. Habrá costado muchísimo dinero, Jorge, ¿verdad?

TESMAN. ¡Oh, mucho!, aunque la beca tan espléndida que me asignaron me ha ayudado bastante.

SEÑORITA TESMAN. Sin embargo, no puedo comprender cómo te has arreglado para que te bastara con la beca.

TESMAN. En efecto, no es muy fácil de comprender, ¿eh?

SEÑORITA TESMAN. Sobre todo, viajando con una señora. Porque debe de ser extraordinariamente más caro, según tengo entendido.

TESMAN. Sí..., algo más caro sí resulta. A pesar de eso, Hedda debía hacer ese viaje, tía. Realmente, era necesario. No habría podido ser de otro modo.

SEÑORITA TESMAN. No, sin duda; como que un viaje de novios es de rigor hoy día. Pero ahora, dime: ¿has mirado bien la casa?

TESMAN. Sí, puedes creerlo. He estado recorriéndola desde el amanecer.

SEÑORITA TESMAN. ¿Y qué te parece el conjunto?

TESMAN. ¡Estupendo, soberbio! Sólo que no me explico qué vamos a hacer con esas dos habitaciones vacías que están entre la pieza del fondo y el dormitorio de Hedda.

SEÑORITA TESMAN. *(Un tanto risueña.)* ¡Oh, mi querido Jorge! Ya harán falta más adelante..., con el tiempo.

TESMAN. Es verdad. Tienes razón, tía Julle, según vaya aumentando mi biblioteca..., ¿eh?

SEÑORITA TESMAN. Exacto, hijo mío. Precisamente pensaba en tu biblioteca...

TESMAN. Estoy más contento todavía por Hedda. Antes de ser prometidos, dijo muchas veces que sólo le gustaría vivir en la villa de la señora Falk, la esposa del consejero de estado.

SEÑORITA TESMAN. Y dio la casualidad de que se puso en venta justamente cuando ustedes acababan de marcharse.

TESMAN. Sí, tía Julle. ¡Qué suerte hemos tenido!, ¿eh?

SEÑORITA TESMAN. Pero es caro, querido Jorge; saldrá caro todo esto.

TESMAN. *(Mirándola, un poco alarmado.)* ¿Sí?... ¿Será quizá muy caro, tía?

SEÑORITA TESMAN. ¡Santo Dios, sí!

TESMAN. ¿Cuánto crees? Poco más o menos...

SEÑORITA TESMAN. Me es imposible precisarlo antes de revisar todas las cuentas.

TESMAN. Afortunadamente, el asesor Brack me ha conseguido buenas condiciones. Se lo escribió él mismo a Hedda.

SEÑORITA TESMAN. No te preocupes lo más mínimo por eso, hijo. Además, para los muebles y las alfombras he dado fianza.

TESMAN. ¿Fianza tú? Pero, querida tía Julle, ¿qué fianza podías dar?

SEÑORITA TESMAN. He empeñado nuestra renta.

TESMAN. *(Sobresaltándose.)* ¿Eh? ¿La renta tuya... y la de tía Rina?

SEÑORITA TESMAN. Sí; no veía otro remedio, comprende.

TESMAN. *(Plantándose delante de ella.)* Pero ¿te has vuelto loca de remate? Esa renta... es lo único que tienen tía Rina y tú para vivir.

SEÑORITA TESMAN. Pero no te inquietes. Es sólo una fórmula, ya ves. Así lo dijo el asesor Brack también. Ha tenido la atención de solucionármelo todo. Nada más que una cuestión de forma, dijo.

TESMAN. Sí, sí. Todo eso está muy bien. No obstante...

SEÑORITA TESMAN. Y ahora tendrás tu sueldo, para responder. Y aunque al principio hayamos de desembolsar algo, reuniremos un poco, por lo pronto... siempre será un placer para nosotras.

TESMAN. ¡Oh, tía, nunca te cansas de sacrificarte por mí!

SEÑORITA TESMAN. *(Se levanta y pone las manos en los hombros de su sobrino.)* ¿Es que me queda alguna otra alegría en este mundo, que no sea allanarte el camino, querido? Tú no has tenido padre ni madre para que se ocuparan de ti. Y hemos llegado a la meta, Jorge.

A ratos veía negro el porvenir; pero, a Dios gracias, se han salvado los obstáculos.

TESMAN. En el fondo, es extraño cómo se ha arreglado todo.

SEÑORITA TESMAN. Sí; y los que estaban en contra tuya, los que querían cerrarte el camino, están por debajo de ti. ¡Han caído, Jorge! El que más peligroso era, es el que ha caído más bajo. Hoy sufre las consecuencias, ¡pobre sinvergüenza!

TESMAN. ¿Has oído hablar de Ejlert? Después que me marché, quiero decir.

SEÑORITA TESMAN. Sólo he oído decir que ha publicado un libro.

TESMAN. ¡Cómo! ¿Ejlert Lovborg? Últimamente, ¿eh?

SEÑORITA TESMAN. Sí, eso dicen. ¡Sabe Dios si valdrá algo! ¿No crees? Cuando *tú* publiques el tuyo... ese sí que será otra cosa, Jorge. ¿De qué va a tratar?

TESMAN. Tratará de la industria doméstica de Brabante, en la Edad Media.

SEÑORITA TESMAN. Jamás pensé que también supieras escribir sobre ese asunto.

TESMAN. Por cierto que puede que el libro tarde mucho tiempo todavía en salir. Necesito primero clasificar mis colecciones de notas, como es lógico.

SEÑORITA TESMAN. Sí, para clasificar y coleccionar te pintas solo. Por algo eres hijo del difunto Joaquín.

TESMAN. Tengo muchas ganas de empezar, máxime ahora que cuento con mi propia casa, tan confortable para poder trabajar.

SEÑORITA TESMAN. Y ante todo, cuentas con ella, la que tu corazón deseaba, querido Jorge.

TESMAN. *(Abrazándola.)* ¡Oh, sí, tía Julle! Hedda es... es... lo más maravilloso de todo esto. *(Mira hacia la puerta.)* Creo que ahí viene.

Entra Hedda por la izquierda, atravesando el salón posterior. Aparenta unos veintinueve años. Cara y figura nobles y distinguidas; tez pálida, mate; sus ojos son de color gris acerado, con fría y tranquila expresión; el pelo es de un hermoso castaño claro, aunque no muy espeso. Viste una elegante bata de mañana, algo suelta.

SEÑORITA TESMAN. *(Corre al encuentro de Hedda.)* ¡Buenos días, querida Hedda, muy buenos días!

HEDDA. *(Alargándole la mano.)* Buenos días, querida señorita Tesman. ¿Tan temprano de visita? Muy amable.

SEÑORITA TESMAN. *(Algo cohibida.)* ¡Hum! ¿Ha descansado bien la joven señora en su nueva casa?

HEDDA. ¡Oh, sí!, gracias; regular.

TESMAN. *(Riendo.)* ¡Regular! ¡Esa sí que es buena, Hedda! Dormías como un tronco cuando yo me levanté.

HEDDA. Afortunadamente. Pero uno tiene que acostumbrarse a todo lo nuevo, señorita Tesman. Se logra poco a poco. *(Mirando hacia la puerta.)* ¡Uf!, ya ha dejado la criada la puerta de la terraza abierta. Entra un verdadero baño de sol.

SEÑORITA TESMAN. *(Se dirige hacia la puerta vidriera.)* Pues la cerraremos.

HEDDA. ¡No, no, eso no! Querido Tesman, corre las cortinas. Dan una luz más suave.

TESMAN. *(Obedeciendo.)* ¡Bueno! Así, Hedda, ¿no? Ya tienes sombra y aire pur..

HEDDA. Sí; buena falta hace un poco de aire puro, con todas estas benditas flores. Pero ¿no quiere usted sentarse, señorita Tesman?

SEÑORITA TESMAN. No; muy agradecida. Como ya sé que están ustedes bien, a Dios gracias, tendré que volver a casa, junto a la enferma, que sigue acostada, esperando con tanto afán, la pobre.

TESMAN. Salúdala cariñosamente de mi parte, tía Julle. Y dile que iré a verla hoy mismo.

SEÑORITA TESMAN. Sí, se lo diré. Pero mira, Jorge... *(Buscando en su bolso.)* Por poco se me olvida. Aquí he traído algo para ti.

TESMAN. ¿Qué es, tía, eh?

SEÑORITA TESMAN. *(Saca un paquete aplastado, envuelto en un periódico, y se lo da.)*. Toma, hijo.

TESMAN. *(Abre el paquete.)* ¡Qué veo! ¿Me las has guardado, tía Julle? ¡Hedda!, ¿no te parece conmovedor, eh?

HEDDA. *(Al lado de las repisas de la derecha.)* ¿Pero qué es?

TESMAN. ¡Mis viejas zapatillas, las zapatillas, Hedda!

HEDDA. ¡Ah, sí! Recuerdo que en el viaje hablabas de ellas con frecuencia.

TESMAN. Sí, las eché mucho de menos. *(Va hacia ella.)* Verás; te las voy a enseñar, Hedda.

HEDDA. *(Acercándose a la estufa.)* No te molestes. Francamente, no me interesan.

TESMAN. *(Detrás de ella.)* Fíjate. Tía Rina las ha bordado en la cama. ¡Con lo enferma que estaba la pobre!

¡Oh!, no puedes figurarte cuántos recuerdos se relacionan con ellas.

HEDDA. *(Al lado de la mesa.)* Pero no especialmente para mí.

SEÑORITA TESMAN. En eso puede que Hedda tenga razón, Jorge.

TESMAN. Sí; pero creo que, ahora que pertenece a la familia...

HEDDA. *(Interrumpiéndolo.)* Con esta muchacha temo que no lleguemos a entendernos, Tesman.

SEÑORITA TESMAN. ¿Que no llegarán a entenderse con Berta?

TESMAN. Vamos a ver..., ¿por qué lo dices?

HEDDA. *(Señala con el dedo.)* ¡Mira ahí! Ha dejado su viejo sombrero en una silla.

TESMAN. *(Anonadado, deja caer las zapatillas.)* Pero, ¡Hedda!...

HEDDA. Piensa si viniese alguien y viera la casa así...

TESMAN. Pero, Hedda... ¡si es el sombrero de tía Julle!

HEDDA. ¡Ah!, ¿sí?

SEÑORITA TESMAN. *(Coge el sombrero.)* Sí, es mío. Y en cuanto a viejo, no lo es, mi flamante señora Hedda.

HEDDA. Confieso que... no lo he mirado muy de cerca, señorita Tesman.

SEÑORITA TESMAN. *(Poniéndose el sombrero.)* A decir verdad, es la primera vez que me lo pongo, bien lo sabe Dios.

TESMAN. Y es muy vistoso. Está espléndido.

SEÑORITA TESMAN. Tanto como eso, no, querido Jorge. *(Mira en torno suyo.)* ¿La sombrilla? Aquí está. *(La coge.)* Porque también es mía *(murmurando),* y no de Berta.

TESMAN. Sombrero nuevo y sombrilla nueva. ¡Fíjate, Hedda!

HEDDA. Muy bonita y elegante.

TESMAN. Sí, ¿verdad que sí, eh? Pero, tía, contempla bien a Hedda antes de irte. Mira qué bonita y elegante está ella también.

SEÑORITA TESMAN. ¡Bah!, querido, eso no es ninguna novedad, pues Hedda ha sido encantadora toda su vida. *(Hace una inclinación de cabeza y se encamina hacia la derecha.)*

TESMAN. *(La sigue.)* Sí; pero ¿no la encuentras con mejor aspecto, más formada? ¡Como ha engordado en el viaje!

HEDDA. *(Paseando.)* ¡Deja eso ya, hombre!

SEÑORITA TESMAN. *(Se para y se vuelve.)* ¿Engordado?

TESMAN. Sí, tía Julle. Ahora no te puedes dar cuenta muy bien, con esa bata que lleva puesta. Pero yo, que tengo ocasión de...

HEDDA. *(Al lado de la puerta vidriera, impaciente.)* ¡Tú no tienes ocasión de nada!

TESMAN. Habrá sido el aire de las montañas, allá en el Tirol.

HEDDA. *(Atajándolo con sequedad.)* Estoy exactamente igual que cuando me fui de viaje.

TESMAN. Ya sé que insistes en eso; pero no estás igual. ¿No lo crees tú así también, tía?

SEÑORITA TESMAN. *(Ha cruzado las manos y contempla a Hedda.)* ¡Encantadora..., encantadora..., Hedda es encantadora! *(Se acerca a ella, le toma la cabeza con las manos y le besa el pelo.)* ¡Dios proteja y bendiga a Hedda Tesman..., por Jorge!

HEDDA. *(Desprendiéndose suavemente.)* ¡Oh!..., ¡suélteme!

SEÑORITA TESMAN. *(Con silenciosa emoción.)* No pasará ni un solo día sin que venga a verlos.

TESMAN. Sí, tía, tienes que venir, ¿eh?

SEÑORITA TESMAN. Adiós, adiós. *(Se va por la puerta del vestíbulo.)*

Tesman la acompaña. La puerta sigue entreabierta. Se oye a Tesman repetir sus saludos para tía Rina y dar las gracias por las zapatillas. Mientras, Hedda pasea de arriba abajo, alza los brazos y cierra los puños. Luego aparta las cortinas de la puerta de cristales y se queda mirando hacia afuera. Poco después vuelve Tesman y cierra la puerta tras sí.

TESMAN. *(Recogiendo las zapatillas del suelo.)* ¿Qué miras, Hedda?

HEDDA. *(Otra vez tranquila.)* No miro más que el follaje. Lo veo muy amarillo y marchito.

TESMAN. *(Envuelve las zapatillas y las coloca sobre la mesa.)* Sí; pero es que estamos a mediados de septiembre, Hedda.

HEDDA. *(Intranquila de nuevo.)* ¡Y pensar que ya estamos en... en septiembre!

TESMAN. ¿No has encontrado a tía Julle algo rara, casi solemne? ¿Sospechas qué sería lo que le pasaba?

HEDDA. Yo qué sé, si no la conozco casi. ¿No suele ser así?

TESMAN. No; como hoy, no.

HEDDA. *(Se aparta de la puerta vidriera.)* ¿Crees que ha tomado en serio lo del sombrero?

TESMAN. ¡Oh!, no muy en serio. Quizás un poquito, en el primer momento.

HEDDA. Pero, en resumen, ¿qué manera es esa de dejar el sombrero tirado por los muebles del salón? Eso no se hace.

TESMAN. ¡Vaya!, puedes estar segura de que no volverá a hacerlo.

HEDDA. Por lo demás, ya me congraciaré con ella.

TESMAN. Sí, mi querida Hedda, procúralo.

HEDDA. Cuando luego vayas a verlas, puedes invitarla para esta noche.

TESMAN. Sí, no lo olvidaré. Y hay otra cosa que le agradaría mucho.

HEDDA. ¿Qué?

TESMAN. Si pudieras decidirte a tutearla... ¡Por mí, Hedda!, ¿eh?

HEDDA. No, no, Tesman; no me lo pidas... Te lo he dicho más de una vez. Intentaré llamarla tía, y ya basta.

TESMAN. Bien, bien. Pero estimo que como ya perteneces a la familia, tú...

HEDDA. ¡Hum!..., en verdad..., no sé. *(Cruza hacia la puerta del foro.)*

TESMAN. ¿Estás contrariada, Hedda, eh?

HEDDA. No. Estoy mirando mi viejo piano, que no viene bien con lo demás.

TESMAN. En cuanto cobre mi primera paga, veremos si se puede cambiar.

HEDDA. ¡No, no! ¿Cambiarlo? No quiero desprenderme de él. Lo pondremos en la otra habitación. Y aquí pondremos otro... cuando haya oportunidad, por supuesto.

TESMAN. *(Algo cohibido.)* Sí..., también podríamos hacer eso...

HEDDA. *(Toma uno de los ramos de flores que hay sobre el piano.)* Estas flores no estaban aquí anoche cuando llegamos.

TESMAN. Te las habrá traído tía Julle, seguramente.

HEDDA. *(Mirando dentro del ramo) Una tarjeta... (La saca y la lee.)* «Volveré más tarde.» ¿Adivinas de quién es?

TESMAN. No. ¿De quién?

HEDDA. Aquí dice: «Señora Elvsted».

TESMAN. ¡No! ¿De veras? ¡La señora Elvsted, la mujer de un juez! Señorita Rysing, como se llamaba en otra época.

HEDDA. Sí, la misma. Aquella del irritante pelo claro, del que siempre hacía ostentación. Tu antiguo amor, según me han contado.

TESMAN. *(Risueño.)* ¡Oh!, no duró mucho. Y era antes de conocerte, Hedda. Pero... ¿está en la ciudad?

HEDDA. Es extraño que nos visite... Yo la conozco casi exclusivamente del colegio.

TESMAN. Pues yo, a la verdad, no la veo desde hace sabe Dios cuánto tiempo. Y podía soportar vivir en ese rincón perdido, ¿eh?

HEDDA. *(Reflexiona y dice de repente:)* Oye, Tesman: ¿no es por allá arriba por donde anda Ejlert Lovborg, retirado en algún lugar?

TESMAN. Sí, allá mismo.

Aparece Berta por la puerta del vestíbulo.

BERTA. Señora, vuelve la señora que estuvo antes, la que trajo esas flores *(señalando con el dedo)* que tiene la señora en la mano.

HEDDA. ¡Ah!..., ¿es ella? ¿Quiere usted hacerla pasar? *(Berta abre la puerta, y sale después de hacer entrar a la señora Elvsted. Esta es una mujercita endeble, con facciones graciosas y suaves. Sus ojos son azules, grandes y redondos, y un tanto saltones, de expresión asustadiza e interrogativa; el pelo, muy rubio, casi de un blanco amarillento, abundante y ondulado. Es un par de años más joven que Hedda. Viste traje de visita oscuro, de buen gusto, aunque algo pasado de moda. Hedda, sale amablemente a su encuentro.)* Buenos días, querida señora Elvsted. ¡Cuánto celebro volver a verla!

SEÑORA ELVSTED. *(Nerviosa, trata de dominarse.)* Sí, hace mucho que no nos vemos.

TESMAN. *(Le da la mano.)* Y nosotros tampoco, ¿eh?

HEDDA. Muchas gracias por sus lindas flores.

SEÑORA ELVSTED. ¡Oh!, no vale la pena. Quise venir enseguida, ayer por la tarde; pero me enteré de que estaban ustedes de viaje...

TESMAN. ¿Hace poco que ha llegado a la ciudad, eh?

SEÑORA ELVSTED. Vine ayer a mediodía. ¡Ay!, me puse desesperada cuando me enteré de que no estaban ustedes en casa...

HEDDA. ¡Desesperada! ¿Por qué?

TESMAN. Pero, señora Rysing..., señora Elvsted, quería decir...

HEDDA. No le ocurre nada malo, supongo.

SEÑORA ELVSTED. Sí, ocurre algo malo. Y no conozco aquí a ningún ser viviente a quien pueda dirigirme, excepto ustedes.

HEDDA. *(Deja el ramo encima de la mesa.)* Venga y nos sentaremos aquí en el sofá.

SEÑORA ELVSTED. ¡Oh!, estoy demasiado inquieta para sentarme.

HEDDA. Pues cálmese ya. Venga aquí. *(La hace sentarse y se sienta a su lado.)*

TESMAN. Veamos... Hable, señora.

HEDDA. ¿Ha sucedido algo de particular en su casa, allá arriba?

SEÑORA ELVSTED. Sí..., ha sucedido y... no ha sucedido. ¡Oh!, quisiera que no me comprendieran mal...

HEDDA. Entonces hará usted mejor en abordar el asunto, señora Elvsted.

TESMAN. Porque es por eso por lo que ha venido usted, ¿eh?

SEÑORA ELVSTED. Sí, sí..., claro, es por eso. Tendré que comunicarles, si no lo saben ya, que Ejlert Lovborg también está en la ciudad.

HEDDA. ¿Lovborg aquí?

TESMAN. ¡Qué me dice! ¿Ha vuelto Ejlert Lovborg? ¡Fíjate, Hedda!

HEDDA. Ya lo he oído, hombre.

SEÑORA ELVSTED. Lleva aquí una semana. Fíjese, ¡una semana entera! ¡En esta ciudad tan peligrosa, solo! ¡Con las malas compañías que hay aquí!

HEDDA. Querida señora Elvsted..., ¿y qué tiene que ver Lovborg con usted?

SEÑORA ELVSTED. *(Mirándola, asustada, dice con precipitación:)* Ha sido preceptor de los niños.

HEDDA. ¿De los suyos?

SEÑORA ELVSTED. De los de mi marido. Yo no tengo.

HEDDA. De sus hijastros, entonces.

SEÑORA ELVSTED. Sí.

TESMAN. *(Algo vacilante.)* Pero ¿acaso era lo suficientemente..., no sé cómo expresarme..., lo suficientemente metódico en su vida y su comportamiento para confiarle un cargo así, eh?

SEÑORA ELVSTED. Durante los últimos dos años no se ha podido decir nada de él.

TESMAN. ¿Es posible? ¡Fíjate, Hedda!

HEDDA. Ya lo oigo.

SEÑORA ELVSTED. Ni lo más mínimo, se lo aseguro; bajo ningún aspecto. Aun así..., ahora que sé que está aquí..., en esta ciudad tan grande..., y con todo ese dinero entre manos..., tengo un miedo terrible por él.

TESMAN. Pero ¿por qué no se quedó allá arriba, donde estaba? Con usted y su marido, ¿eh?

SEÑORA ELVSTED. Cuando se publicó su libro, no tuvo calma ni tranquilidad para seguir con nosotros.

TESMAN. Sí, es verdad. Tía Julle me dijo que había publicado un nuevo libro.

SEÑORA ELVSTED. Sí; un libro voluminoso que trata del desarrollo de la civilización en general. Ya hace unos quince días. Y como se ha vendido y leído mucho, y ha provocado gran revuelo...

TESMAN. ¡Ah!, ¿ha provocado gran revuelo? Debe de ser algo que tenía guardado de sus buenos tiempos.

SEÑORA ELVSTED. ¿De otros tiempos, quiere usted decir?

TESMAN. Sí, eso.

SEÑORA ELVSTED. No; lo ha escrito todo estando con nosotros..., en este último año.

TESMAN. ¡Qué alegría oírlo, Hedda! ¿Te das cuenta?

SEÑORA ELVSTED. ¡Ay!, sí, si pudiera durar... Hedda. ¿Lo ha visto usted aquí?

SEÑORA ELVSTED. No, todavía no. Me costó mucho trabajo enterarme de su dirección; pero por fin la he obtenido esta mañana.

HEDDA. *(Con una mirada interrogativa.)* Bien mirado, me parece algo extraño por parte de su marido... ¡ejem!...

SEÑORA ELVSTED. *(Se estremece, nerviosa.)* ¡Por parte de mi marido! ¿Qué?

HEDDA. Que la envíe aquí, a la ciudad, con semejante misión. ¿Por qué no viene él mismo a ver a su amigo?

SEÑORA ELVSTED. ¡Oh!, no, no... Mi marido no tiene tiempo. Y además, yo debía hacer algunas compras.

HEDDA. *(Sonriendo ligeramente.)* ¡Ah!, eso ya es otra cosa.

SEÑORA ELVSTED. *(Levantándose de pronto, agitada.)* Y ahora, señor Tesman, le ruego encarecidamente que reciba bien a Ejlert Lovborg si viene a verlo. Y vendrá, no cabe duda. ¡Fueron ustedes tan buenos amigos en otros tiempos! Además, se ocupan los dos de los mismos estudios, de las mismas ciencias, según tengo entendido.

TESMAN. ¡Hum!, así fue algún día, al menos.

SEÑORA ELVSTED. Sí, y por eso le ruego con tanto interés que usted..., y usted también *(a Hedda)*, sean benévolos con él. ¡Oh! ¿De acuerdo, señor Tesman; me lo promete?

TESMAN. Sí, con mucho gusto, señora Rysing.

HEDDA. Elvsted.

TESMAN. Haré por Ejlert cuanto de mí dependa. Puede usted estar segura.

SEÑORA ELVSTED. ¡Oh!, es usted muy amable. *(Le estrecha las manos.)* ¡Gracias, gracias! *(Asustada.)* Sí, porque mi marido le profesa tanto cariño...

HEDDA. *(Se levanta.)* Debías escribirle, Tesman, pues acaso no tenga él intención de venir a verte.

TESMAN. Sí, Hedda, quizá sea preferible, ¿eh?

HEDDA. Y cuanto antes, mejor. Hazlo ahora mismo.

SEÑORA ELVSTED. *(Implorante.)* ¡Oh, sí!, si quisiera usted.

TESMAN. Le escribiré enseguida. ¿Tiene usted sus señas, señora... señora Elvsted?

SEÑORA ELVSTED. Sí. *(Saca de su bolsillo un papelito y se lo da.)* Aquí están.

TESMAN. Muy bien. Entonces voy a... *(Mira en torno suyo.)* ¿Las zapatillas...? ¡Ah!, ya las veo. *(Coge el paquete y va a salir.)*

HEDDA. Escríbele una carta cariñosa y amistosa. Y muy larga, además.

TESMAN. Sí, sí. Es lo que voy a hacer.

SEÑORA ELVSTED. Pero, sobre todo, ni una sola palabra de que yo he intercedido en favor suyo...

TESMAN. No, de acuerdo, ¿eh? *(Sale por la pieza del fondo, a la derecha.)*

HEDDA. *(Se acerca a la visitante y dice, sonriendo, en voz baja:)* ¡Vaya!, hemos matado dos pájaros de un tiro.

SEÑORA ELVSTED. ¿Qué quiere usted decir?

HEDDA. ¿No se ha dado usted cuenta de que yo quería alejarlo?

SEÑORA ELVSTED. Sí, para que escribiera la carta.

HEDDA. Y para poder hablar a solas con usted.

SEÑORA ELVSTED. *(Desconcertada.)* ¿De lo mismo?

HEDDA. De lo mismo, sí.

SEÑORA ELVSTED. *(Con angustia.)* Pero si no hay nada más, señora Tesman. ¡Como lo oye, nada más!

HEDDA. Sí que lo hay, por cierto; mucho más. Lo preveo. Venga aquí y nos sentaremos a hablar en confianza. *(Obliga a la señora Elvsted a sentarse en el sillón situado al lado de la estufa, y ella se sienta en uno de los taburetes.)*

SEÑORA ELVSTED. *(Temerosa, mirando su reloj.)* Pero oiga, querida señora..., yo pensaba irme ya.

HEDDA. ¡Oh!, no tendrá tanta prisa. ¿Y qué? Cuénteme cómo se encuentra en su hogar.

SEÑORA ELVSTED. ¡Ah!, ese es el punto que menos me agradaría tocar...

HEDDA. Querida, conmigo no debe tener esa reserva. Al fin y al cabo, hemos ido juntas al colegio.

SEÑORA ELVSTED. Sí; pero usted estaba en una clase superior a la mía. ¡Y cuánto miedo le tenía yo entonces!

HEDDA. ¿Me tenía usted miedo?

SEÑORA ELVSTED. Sí, un miedo terrible. Porque, cuando nos encontrábamos en la escalera, solía usted tirarme del pelo.

HEDDA. ¡No es posible!

SEÑORA ELVSTED. Sí, y una vez dijo que iba a quemármelo.

HEDDA. ¡Oh!, comprenderá usted que se trataba de una amenaza inútil.

SEÑORA ELVSTED. Pero yo era muy tonta... De todos modos, más tarde... nos hemos distanciado mucho..., muchísimo, una de otra. Nuestros círculos eran tan distintos...

HEDDA. Pues procuraremos acercarnos nuevamente. Escuche una cosa: en el colegio nos tuteábamos y nos llamábamos por el nombre de pila.

SEÑORA ELVSTED. No; en eso está usted equivocada, seguro.

HEDDA. No, ¡qué va!; lo recuerdo perfectamente. Por tanto, vamos a ser desde hoy íntimas amigas, como lo éramos entonces. *(Acerca más el taburete.)* ¡Así! *(La besa en la mejilla.)* Vas a tratarme de tú y a llamarme Hedda.

SEÑORA ELVSTED. *(Estrecha y acaricia las manos de Hedda.)* Tanto cariño y amabilidad... es algo a lo que no estoy acostumbrada.

HEDDA. ¡Vamos, vamos! Te hablaré de tú y te llamaré mi querida Thora, como antes.

SEÑORA ELVSTED. Me llamo Thea.

HEDDA. Sí, eso es, naturalmente. Quise decir Thea. *(Mirándola, compasiva.)* ¿De manera, Thea, que estás poco acostumbrada al cariño y a la amabilidad en tu propio hogar?

SEÑORA ELVSTED. ¡Oh, si yo tuviera un hogar! Pero no lo tengo. ¡Jamás lo he tenido!

HEDDA. *(Se queda observándola un rato.)* Presumía que pasaba algo por el estilo.

SEÑORA ELVSTED. *(Mirando, desamparada, al vacío.)* Sí, sí...

HEDDA. No recuerdo con exactitud; pero, ¿no entraste como ama de llaves en casa del juez?

SEÑORA ELVSTED. En realidad, fui de institutriz. Pero su mujer, la primera, estaba muy delicada y guardaba cama casi constantemente. Así, pues, tuve que ocuparme también de la casa.

HEDDA. Y acabaste por ser la dueña.

SEÑORA ELVSTED. *(Con tristeza.)* Sí, acabé por serlo.

HEDDA. Déjame calcular... ¿Cuánto tiempo hace, poco más o menos?

SEÑORA ELVSTED. ¿De mi boda?

HEDDA. Sí.

SEÑORA ELVSTED. Hace unos cinco años.

HEDDA. Sí; eso debe de hacer.

SEÑORA ELVSTED. ¡Y qué cinco años! O mejor dicho, los últimos dos o tres. Si usted pudiera formarse una idea...

HEDDA. *(Dándole golpecitos en la mano.)* ¿Usted? ¡Qué mal me suena, Thea!

SEÑORA ELVSTED. No, no; ya procuraré... Sí..., si tú pudieras sospechar y comprender...

HEDDA. *(Negligente.)* Ejlert Lovborg lleva también unos tres años allí, según creo.

SEÑORA ELVSTED. *(Azorada, mirándola.)* ¿Ejlert Lovborg? Sí..., unos tres años.

HEDDA. ¿Lo conocías de aquí, de la ciudad?

SEÑORA ELVSTED. Apenas. Es decir, de nombre sí, por supuesto.

HEDDA. Y allá arriba... frecuentaba la casa, ¿no es así?

SEÑORA ELVSTED. Sí, iba todos los días, porque daba lecciones a los niños, porque yo sola, a la larga, no podía con todo.

HEDDA. No; claro. ¿Y tu marido? Estará a menudo de viaje, supongo.

SEÑORA ELVSTED. Sí, usted... tú comprenderás que, como juez, tiene que hacer viajes por el distrito con bastante frecuencia.

HEDDA. *(Se apoya en el brazo del sillón.)* Thea, pobre y buena Thea, vas a contarme todo en detalle.

SEÑORA ELVSTED. Está bien; pregúntame.

HEDDA. Dime, Thea. ¿Cómo es tu marido? Quiero decir en la vida diaria. ¿Es bueno contigo?

SEÑORA ELVSTED. *(Evasiva.)* Él cree, sin dudar, que todo lo hace bien.

HEDDA. Deduzco que debe de ser demasiado viejo para ti; seguramente tendrá unos veinte años más que tú.

SEÑORA ELVSTED. *(Irritada.)* ¡Eso, además! Una cosa con otra. Todo en él me repele. No coincidimos él y yo ni en un solo pensamiento, en nada.

HEDDA. Pero, a pesar de todo, te quiere, ¿no? A su manera.

SEÑORA ELVSTED. No lo sé a ciencia cierta. El caso es que le soy útil, y nada más. No cuesta mucho dinero mantenerme; resulto barata.

HEDDA Es una tontería pensar así.

SEÑORA ELVSTED. *(Moviendo la cabeza.)* No puedo pensar de otro modo en lo que a él se refiere. En resumen, no tiene afecto a nadie más que a sí mismo, y quizá un poco a los niños.

HEDDA. Y a Ejlert Lovborg, Thea.

SEÑORA ELVSTED. *(Se queda mirándola.)* ¿A Ejlert Lovborg? ¿De dónde sacas eso?

HEDDA. Querida..., me lo figuro, puesto que te envía a la ciudad en su busca. *(Con una sonrisa casi imperceptible.)* Además de que tú misma se lo has dicho a Tesman.

SEÑORA ELVSTED. *(Con un gesto nervioso.)* ¡Ah!, ¿sí? Sí, tal vez lo dije. *(En voz baja.)* ¡No! Y... lo mismo da hablar ahora que después. Como, de todos modos, ha de saberse tarde o temprano...

HEDDA. ¿Qué, Thea querida?

SEÑORA ELVSTED. En resumen, mi marido no sabe que me he marchado.

HEDDA. ¡Cómo! ¿No lo sabe tu marido?

SEÑORA ELVSTED. No, claro que no. Por otra parte, no estaba en casa; había salido de viaje también. ¡Oh, Hedda, yo no podía resistir más! Me era absolutamente imposible. ¡Tan sola como iba a encontrarme ahora!

HEDDA. Bien; ¿y qué?

SEÑORA ELVSTED. Preparé una maleta con lo indispensable, sin más ni más, y luego me marché.

HEDDA. ¿Así, tranquilamente?

SEÑORA ELVSTED. Sí. Y tomé el tren directo a la ciudad.

HEDDA. Pero, querida Thea, ¿cómo te arriesgaste a hacer tal cosa?

SEÑORA ELVSTED. *(Se levanta y da unos pasos por el salón.)* ¿Qué iba a hacer, si no?

HEDDA. ¿Y qué crees que dirá tu marido cuando vuelvas a casa?

SEÑORA ELVSTED. *(Al lado de la mesa, mirando a Hedda.)* ¿Allá, con él?

HEDDA. Eso es, sí.

SEÑORA ELVSTED. Allá, con él, no volveré nunca.

HEDDA. *(Se levanta y se acerca.)* ¿De manera que es en serio que lo has abandonado todo?

SEÑORA ELVSTED. Sí; estimé que no había otra solución.

HEDDA. ¿Conque te has marchado sin ningún disimulo?

SEÑORA ELVSTED. ¡Oh!, no hay forma de ocultar esas cosas.

HEDDA. Pero, Thea, ¿qué va a decir de ti la gente?

SEÑORA ELVSTED. Que diga lo que quiera. *(Se deja caer en el sofá, con aire cansado.)* Yo no he hecho sino lo que debía hacer.

HEDDA. *(Tras de un corto silencio.)* ¿Y qué rumbo piensas tomar, a qué vas a dedicarte?

SEÑORA ELVSTED. Aún no lo sé. Únicamente sé que tengo que vivir aquí, donde vive Ejlert Lovborg. Sí; en caso de que *tenga* que vivir, quiero decir.

HEDDA. *(Arrima una silla a la mesa, se sienta y acaricia las manos de la Señora Elvsted.)* Oye, Thea: ¿cómo se iniciaron esas... esas relaciones... amistosas entre Ejlert Lovborg y tú?

SEÑORA ELVSTED. Sucedió poco a poco. Adquirí una especie de influjo sobre él.

HEDDA. ¡Cómo!

SEÑORA ELVSTED. Abandonó sus viejas costumbres. No porque yo se lo pidiera, pues no me habría atrevido nunca, sino porque se daba cuenta de que esos hábitos no me gustaban, lo que bastó para que los dejara.

HEDDA. *(Reprime una sonrisa desdeñosa.)* Al parecer, lo has regenerado, como suele decirse..., tú, la pequeña Thea.

SEÑORA ELVSTED. Sí; por lo menos, eso es lo que él dice. Y él, por su parte, me ha convertido en una verdadera persona. Me ha enseñado a reflexionar y a comprender muchas cosas.

HEDDA. ¿Te daba acaso lecciones a ti?

SEÑORA ELVSTED. No, lo que se dice lecciones, no; pero conversaba conmigo, hablaba de una infinidad de asuntos. Y luego, aquel tiempo delicioso y feliz, cuando me dejó colaborar en su trabajo... ¡Me permitió ayudarlo!

HEDDA. ¿Lo has ayudado?

SEÑORA ELVSTED. Sí; siempre que escribía algo, yo tenía que estar al corriente.

HEDDA. Como dos buenos camaradas.

SEÑORA ELVSTED. *(Con vivacidad.)* ¡Sí, camaradas! Fíjate, Hedda: así decía él. Yo debía sentirme muy contenta; pero no puedo, porque no sé si va a durar.

HEDDA. ¿Tan poco segura estás de él?

SEÑORA ELVSTED. *(Con aire triste.)* Entre Ejlert y yo se yergue la sombra de una mujer...

HEDDA. *(Mirándola atentamente.)* ¿Quién podrá ser?

SEÑORA ELVSTED. No sé. Alguna mujer de su pasado. Una a quien, indudablemente, no pudo olvidar por completo.

HEDDA. Y él..., ¿qué dice sobre eso?

SEÑORA ELVSTED. Una sola vez, de pasada, aludió a ese asunto.

HEDDA. ¿Y qué dijo?

SEÑORA ELVSTED. Que cuando se separaron, ella quería matarlo de un disparo.

HEDDA. *(Fríamente, dominándose.)* ¡Bah!, esas cosas no se hacen aquí.

SEÑORA ELVSTED. No, y por eso creo que debe de ser esa cantante pelirroja a quien durante algún tiempo él...

HEDDA. Sí, bien pudiera ser.

SEÑORA ELVSTED. Porque recuerdo que contaban de ella que solía llevar armas cargadas.

HEDDA. Pues... entonces es ella, evidentemente.

SEÑORA ELVSTED. *(Retorciéndose las manos.)* Sí; pero oye, Hedda: me he enterado de que esa cantante está aquí, en la ciudad, otra vez. ¡Oh, qué angustia!

HEDDA. *(Mirando de soslayo a la habitación del fondo.)* ¡Chist! Viene Tesman. *(Se levanta, y dice en un murmullo:)* Thea, todo esto tiene que quedar entre nosotras dos.

SEÑORA ELVSTED. *(Sobresaltándose.)* ¡Oh, sí..., por amor de Dios!

Jorge Tesman entra, con una carta en la mano; viene de la habitación posterior, por la derecha.

TESMAN. ¡Bueno!, ya está la carta.

HEDDA. ¡Ajajá! Pero creo que la señora Elvsted desea irse. Espera un poco; la acompañaré hasta la verja.

TESMAN. Di, Hedda: ¿podría Berta llevar esto?

HEDDA. *(Toma la carta.)* Sí; voy a dársela.

Entra Berta por la puerta del vestíbulo.

BERTA. El asesor Brack está aquí y quisiera saludar a los señores.

HEDDA. Pues dígale que tenga la bondad de pasar. Oiga: eche esta carta al correo.

BERTA. *(La toma.)* Bien, señora.

Berta abre la puerta para dar paso al asesor Brack y luego sale. El asesor es un señor de unos cuarenta y cinco años, bajito, pero bien constituido y de movimientos ágiles. Cara algo ancha, perfil noble, pelo corto y poco canoso aún rizado con esmero; ojos vivos y relucientes, cejas espesas; el bigote igual, con las puntas recortadas. Viste con elegancia, aunque demasiado juvenil para su edad. Lleva espejuelos, que deja caer de cuando en cuando.

BRACK. *(Con el sombrero en la mano, saluda.)* ¿Se puede hacer una visita tan temprano?

HEDDA. Sí; ¿por qué no?

TESMAN. *(Estrechándole la mano.)* A usted siempre se le ve con agrado. *(Presenta.)* El asesor Brack, la señorita Rysing.

HEDDA. ¡Oh!...

BRACK. *(Inclinándose.)* Me alegro en extremo...

HEDDA. ¡Oh!...

HEDDA. *(Lo mira y se ríe.)* Da verdadero gusto poder contemplarlo de día, asesor.

BRACK. ¿Cambiado, tal vez?

HEDDA. Sí, me parece un poco más joven.

BRACK. Muy agradecido.

TESMAN. Pero, ¿qué dice usted de Hedda, eh? ¿No respira salud? Es...

HEDDA. No te ocupes de mí. Mejor sería que le dieras las gracias al asesor por todas las molestias que se ha tomado.

BRACK. ¡Oh, nada de eso! Ha sido un verdadero placer para mí.

HEDDA. Sí, es usted un alma fiel. Pero lo dejo, asesor. Mi amiga está impaciente por marcharse. Vuelvo enseguida.

Saludos recíprocos. La Señora Elvsted y Hedda salen por la puerta del vestíbulo.

BRACK. ¿Qué, está satisfecha su mujer?

TESMAN. Sí, mucho. Nunca podremos agradecérselo bastante. Con todo, creo que será necesario mudar de sitio algunos muebles y comprar ciertas menudencias que echamos de menos.

BRACK. ¡Ah!, ¿sí? ¿Es posible?

TESMAN. Pero no debe ocuparse de eso. Hedda dijo que ella misma se encargaría de lo que falta. Vamos a sentarnos, ¿eh?

BRACK. Gracias; sólo un instante. *(Se sienta al lado de la mesa.)* Quisiera hablarle de cierto asunto, querido Tesman.

TESMAN. ¿Sí? ¡Ah!, ya comprendo. *(Se sienta.)* Será la parte seria de la fiesta que comienza, ¿eh?

BRACK. ¡Oh!, esas cuestiones de dinero no corren tanta prisa todavía, si bien me habría gustado que se instalara en una forma algo más modesta.

TESMAN. Pero no podía ser de otro modo. Piense en Hedda, querido asesor, usted que la conoce tan bien. ¡Sería ofensivo que yo le ofreciera un ambiente de pequeña burguesía!

BRACK. No, no; esta es la mayor dificultad.

TESMAN. Además, por fortuna, no tardaré mucho en recibir mi nombramiento.

BRACK. El caso es que esas cosas suelen demorarse bastante.

TESMAN. ¿Ha oído usted algo más acerca de eso, eh?

BRACK. Nada concreto del todo. *(Interrumpiéndose.)* Pero, eso sí, tengo que contarle una novedad.

TESMAN. ¿Qué?

BRACK. Su antiguo amigo, Ejlert Lovborg, ha vuelto a la ciudad.

TESMAN. Ya lo sé.

BRACK. ¿Sí? ¿Dónde se ha enterado usted?

TESMAN. Nos lo ha contado esa señora Elvsted, que acaba de salir con Hedda.

BRACK. ¿Y cómo ha dicho que se llama? No he oído bien.

TESMAN. Señora Elvsted.

BRACK. ¡Ah, ya! Entonces, es la mujer del juez. Sí..., con ellos estaba Lovborg allá arriba.

TESMAN. Y ya ve, me he enterado, para satisfacción mía, de que vuelve a ser una persona cabalmente ordenada.

BRACK. Sí, se dice eso.

TESMAN. Y según cuentan, ha publicado un nuevo libro, ¿eh?

BRACK. ¡Ya lo creo!

TESMAN. Y que ha causado sensación.

BRACK. Una sensación de lo más excepcional.

TESMAN. ¿No complace oír una cosa así? Él con sus notables facultades... Me apenó tanto saber que se había hundido para siempre...

BRACK. Esa era una opinión bastante general.

TESMAN. Aunque no concibo en qué va a trabajar ahora. ¿De qué va a ocuparse ahora? ¿De qué va a vivir?

Durante las últimas palabras, Hedda ha entrado por la puerta del vestíbulo.

HEDDA. *(A Brack, riendo, con cierto desdén.)* Tesman siempre anda preocupándose de qué se va a vivir.

TESMAN. Es que... estamos hablando del pobre Ejlert Lovborg.

HEDDA. *(Con una mirada rápida.)* ¡Ah, vamos! *(Se sienta en el sillón al lado de la estufa y pregunta con indiferencia.)* ¿Y qué le pasa?

TESMAN. Pues... que habrá derrochado su herencia hace ya mucho tiempo. Y no podrá escribir un libro cada año, ¿eh? Por eso me pregunto qué va a ser de él...

BRACK. Quizás yo pueda informarle a usted un poco sobre el particular.

TESMAN. Ya escucho.

BRACK. No debe usted olvidar que él tiene parientes de mucha influencia.

TESMAN. Los parientes le volvieron la espalda por completo, por desgracia.

BRACK. Pues antes lo llamaban la esperanza de la familia.

TESMAN. Sí, antes sí. Pero por su culpa ha perdido ese apoyo.

HEDDA. ¡Quién sabe! *(Sonríe ligeramente.)* En casa del juez Elvsted lo han rehabilitado.

BRACK. Además, ese libro que ha aparecido...

TESMAN. Sí, sí. ¡Quiera Dios que lo ayuden de una manera o de otra! Oye, Hedda: le he preguntado si quiere venir a casa esta noche.

BRACK. Pero, amigo mío, ya sabe que esta noche tiene que asistir usted a mi cena de solteros. Así me lo prometió anoche.

HEDDA. ¿Lo habías olvidado, Tesman?

TESMAN. Sí, lo había olvidado.

BRACK. Sobre ese respecto puede estar usted bien tranquilo, pues no vendrá.

TESMAN. ¿Por qué cree usted eso, eh?

BRACK. *(Un poco vacilante, se levanta, y apoya las manos en el respaldo de la silla.)* Mi querido Tesman, y usted también señora..., obraría yo mal si los dejara en la ignorancia de algo que... que...

TESMAN. ¿De algo que concierne a Ejlert...?

BRACK. A usted y a él.

TESMAN. Vamos, querido asesor, ¡dígalo ya!

BRACK. Puede ser que su nombramiento no llegue tan pronto como desea y espera.

TESMAN. *(Se levanta, intranquilo.)* ¿Ha surgido algún obstáculo, eh?

BRACK. Puede que la adjudicación de la cátedra se saque a concurso.

TESMAN. ¿A concurso? ¡Fíjate, Hedda!

HEDDA. *(Acomodándose en el sillón.)* ¡Vaya, vaya!

TESMAN. Pero ¿con quién he de concursar? No será con...

BRACK. Sí, con el propio Ejlert Lovborg.

TESMAN. *(Juntando las manos.)* ¡No, no! ¡Eso es... inaudito! ¡Es imposible! ¡Absolutamente imposible!, ¿eh?

BRACK. ¡Ejem!... Yo no diría que no puede ocurrir.

TESMAN. No, asesor. Eso... sería una increíble desconsideración conmigo. *(Gesticulando con los brazos.)* Sí, ya que, fíjese usted, yo soy un hombre casado. Hedda y yo nos casamos porque tenía esa plaza en perspectiva. Hemos contraído muchas deudas. Y tía Julle misma me ha prestado dinero. ¡Dios mío, si casi me habían prometido la plaza!, ¿eh?

BRACK. Sí, sí, y tendrá usted el cargo, a no dudar; pero habrá lucha primero.

HEDDA. *(Inmóvil, en su sillón.)* En resumidas cuentas, para ti, Tesman, viene a ser eso como una especie de deporte.

TESMAN. Pero, querida Hedda, ¿cómo puedes tomar esto con tanta despreocupación?

HEDDA. *(Igual que antes.)* No, ¡qué idea! Estoy muy interesada en conocer el resultado.

BRACK. Por si acaso, señora Tesman, es mejor que sepa usted la situación. Quiero decir... antes que empiece a hacer esas pequeñas compras con las que he oído que amenaza.

HEDDA. No cambiará nada por eso.

BRACK. ¡Ah!, ¿no? Eso es otra cosa. Adiós. *(A Tesman.)* Después de mi paseo de la tarde, pasaré a recogerlo.

TESMAN. Sí, sí... Ya no sé qué hacer ni qué no hacer...

HEDDA. *(Estrechando la mano a Brack.)* Adiós, asesor, y bien venido.

BRACK. Muchas gracias. Adiós, adiós.

TESMAN. *(Acompañándolo a la puerta.)* Adiós, querido asesor. Le ruego que me disculpe. *(El asesor Brack sale por la puerta del vestíbulo. Tesman empieza a pasearse.)* ¡Oh!, Hedda, por ningún motivo debía uno meterse en aventuras, ¿eh?

HEDDA. *(Lo mira, y sonríe.)* ¿Es que tú lo haces?

TESMAN. Sí, Hedda. No hay por que negarlo... Es una aventura casarse y crear una familia, sin más base que simples esperanzas.

HEDDA. Es posible que tengas razón en eso.

TESMAN. En fin, por lo menos, contamos con nuestro amable hogar, Hedda. Ya ves, el hogar con que los dos soñábamos, que nos entusiasmaba, puede decirse, ¿eh?

HEDDA. *(Aburrida, se levanta lentamente.)* Acordamos que viviríamos en sociedad, recibiendo amistades.

TESMAN. Sí, ¡vaya!... ¡Y cuánto me alegraba pensar en eso! ¡Imagínate!... verte como dueña de casa en un círculo selecto, ¿eh? Sí, sí, sí... Mientras, habremos de permanecer unidos en nuestra soledad; sólo podremos invitar a tía Julle de vez en cuando. ¡Oh, y tú que ibas a vivir de una manera tan distinta!

HEDDA. No podré tener un lacayo de librea enseguida, claro está.

TESMAN. ¡Oh, no!..., por desgracia. Un criado es un lujo que no podemos permitirnos, como supondrás.

HEDDA. Y el caballo de silla que iba a tener...

TESMAN. *(Espantado.)* ¡Un caballo de silla!

HEDDA. Ya no me atrevo ni a pensar en eso.

TESMAN. No, ¡Dios me libre!, de ninguna manera.

HEDDA. *(Dando unos pasos.)* Bueno... en todo caso, tengo una cosa para distraerme, mientras tanto.

TESMAN. *(Radiante de alegría.)* ¡Bendito sea Dios! ¿Y qué es, Hedda, eh?

HEDDA. *(Al lado de la puerta, mirándolo con burla disimulada.)* Mis pistolas..., Jorge.

TESMAN. *(Angustiado.)* ¿Las pistolas?

HEDDA. *(Con ojos fríos.)* Las pistolas del general Gabler. *(Sale por la izquierda, atravesando la habitación del fondo.)*

TESMAN. *(Corre hacia la puerta y grita desde allí:)* ¡No, Dios te proteja, mi querida Hedda! ¡No toques las pistolas! ¡Deja esos objetos peligrosos! ¡Por mí, Hedda!, ¿eh?

ACTO SEGUNDO

La misma decoración del primer acto. Únicamente falta el piano, cuyo lugar ocupa un pequeño y elegante escritorio, coronado por una hilera de libros. Junto al sofá de la izquierda hay una mesa pequeña. La mayor parte de los ramos de flores han desaparecido. El de la Señora Elvsted está encima de la mesa grande del centro.

Es por la tarde. Hedda, en traje de recibir, se halla sola en la habitación, cargando una pistola al lado de la puerta vidriera, que está abierta. En su estuche, sobre el escritorio, se ve otra pistola.

HEDDA. *(Mira abajo, al jardín, y saluda.)* Se le saluda otra vez, señor asesor.

BRACK. *(Se le oye a cierta distancia.)* Lo mismo digo, señora Tesman.

HEDDA. *(Levanta la pistola y apunta.)* Voy a disparar sobre usted, asesor Brack.

BRACK. *(Gritando desde abajo.)* ¡No, no, no! ¡No me apunte así!

HEDDA. Ese es el inconveniente de entrar por la puerta falsa.[1] *(Dispara.)*

BRACK. *(Más cerca.)* ¿Está usted loca?

HEDDA. ¡Oh, Dios mío...! ¿Le he dado acaso?

[1] La intención de Hedda es de un doble sentido, poco evidente en castellano.

BRACK. *(Todavía desde fuera.)* ¡Deje usted esas bromas!

HEDDA. Vamos, entre, asesor.

Brack, vestido para la comida, entra por la puerta de cristal. Lleva un abrigo ligero al brazo.

BRACK. ¡Demonio! ¿Aún sigue usted con ese deporte? ¿Adónde tiraba?

HEDDA. ¡Bah!..., sólo estoy tirando hacia arriba, al cielo azul.

BRACK. *(Quita suavemente la pistola de la mano de Hedda.)* Con su permiso, señora. *(La examina.)* ¡Oh, esta... esta la conozco muy bien! *(Mirando en torno suyo.)* ¿Y dónde está el estuche? ¡Ah, aquí! *(Coloca la pistola en el estuche, y lo cierra.)* Por hoy ya hemos tenido bastante juego.

HEDDA. Sí; pero, en nombre del cielo, ¿con qué quiere usted que me distraiga?

BRACK. ¿No ha tenido usted visitas?

HEDDA. *(Cerrando la puerta de cristal.)* Ni una. Todos los íntimos están de veraneo todavía.

BRACK. ¿Y tampoco Tesman se encuentra en casa?

HEDDA. *(Guarda el estuche de las pistolas en un cajón del escritorio.)* No. En cuanto almorzó, se fue corriendo a casa de las tías, pues no lo esperaba a usted tan temprano.

BRACK. ¡Hum!... ¿Cómo no se me habrá ocurrido? ¡Qué estúpido soy!

HEDDA. *(Vuelve la cabeza, y lo mira.)* ¿Estúpido? ¿Por qué?

BRACK. Sí, porque, si se me hubiera ocurrido, habría venido un poco más... temprano aún.

HEDDA. *(Atravesando la escena.)* Entonces no hubiera usted encontrado a nadie, porque yo estaba en mi habitación, vistiéndome, después del almuerzo.

BRACK. ¿Y no habrá en la puerta una rendija por la que se pueda conversar?

HEDDA. Se ha olvidado usted de ese detalle.

BRACK. Otra estupidez mía.

HEDDA. ¡Vaya! Nos sentaremos aquí y esperaremos. Porque, seguramente, Tesman tardará en llegar.

BRACK. Bueno, bueno. ¡Señor, tendré paciencia!

Hedda se sienta en la esquina del sofá. Brack deja su abrigo en el respaldo de una silla y se sienta, conservando el sombrero en la mano. Corta pausa. Se miran uno a otro.

HEDDA. ¿Qué hay?

BRACK. *(En el mismo tono.)* ¿Qué hay?

HEDDA. He sido yo quien ha preguntado primero.

BRACK. *(Se inclina ligeramente.)* ¡Vaya! [illegible]emos, pues, una cháchara amable, Hedda.

HEDDA. *(Acomodándose bien en el sofá.)* ¿No le parece que hace una eternidad desde la última vez que hablamos? Porque esas insignificancias de ayer por la noche y esta mañana, no valen.

BRACK. ¿Así..., a solas..., mano a mano, quiere usted decir?

HEDDA. Sí, eso es.

BRACK. No ha pasado un solo día sin que deseara yo su retorno.

HEDDA. Yo también lo he deseado durante todo el tiempo.

BRACK. ¿Usted? ¿Es posible, Hedda? ¡Y yo que creía que se habían divertido tanto en el viaje!

HEDDA. ¡Ah! Pero ¿ha podido usted creerlo?

BRACK. Así lo decía Tesman siempre en sus cartas.

HEDDA. Sí, él. Por su parte, le parece lo más delicioso revolver en las bibliotecas y sentarse a copiar pergaminos antiguos o lo que sea.

BRACK. *(No sin malicia.)* Como que esa es su misión en este mundo. Hasta cierto punto, en general.

HEDDA. Sí, lo será. Y bien puede ser que... Pero ¿y yo? ¡Ay, no, querido asesor! ¡Yo me he aburrido terriblemente!

BRACK. *(Compasivo.)* ¿De veras? ¿Lo dice usted en serio?

HEDDA. Sí. Ya podía usted figurárselo. ¡Seis largos meses sin encontrar nunca una persona que conociese un poco *nuestro* ambiente, y con la que se pudiera hablar de nuestras cosas!

BRACK. No, no..., yo también habría sentido esa privación.

HEDDA. Y luego, lo más insoportable de todo.

BRACK. ¿Qué?

HEDDA. Tener que estar con la misma persona eternamente.

BRACK. *(Con un gesto de aprobación.)* De día y de noche... Imagínese..., a todas horas.

HEDDA. Ya he dicho que eternamente.

BRACK. De acuerdo. Pero con nuestro buen Tesman... supongo que se debe de poder...

HEDDA. Tesman es... un especialista, querido.

BRACK. No cabe duda.

HEDDA. Y los especialistas no son nada divertidos de viaje. Por lo menos, a la larga.

BRACK. ¿Ni siquiera el especialista a quien se *ama?...*

HEDDA. ¡Ah!, no emplee usted esa palabra tan empalagosa.

BRACK. *(Asombrado.)* Pero Hedda...

HEDDA. *(Entre risueña y enojada.)* Sí, debiera usted probarlo. Oír hablar de la historia de la civilización desde por la mañana hasta por la noche...

BRACK. Eternamente...

HEDDA. ¡Sí, sí! Y para colmo, lo del trabajo doméstico en la Edad Media... ¡Eso es lo más espantoso!

BRACK. *(Con una mirada inquisitiva.)* Pero dígame... ¿Cómo podré explicarme, entonces, que...? ¡Ejem!...

HEDDA. ¿Que nos hayamos unido Jorge Tesman y yo, quiere usted decir?

BRACK. Pues sí, para expresarnos de ese modo.

HEDDA. ¡Vaya por Dios! ¿Le parece tan extraño?

BRACK. Sí... y no, Hedda.

HEDDA. Es que estaba harta de bailar, querido asesor. Ya pasó mi tiempo... *(Se estremece ligeramente.)* ¡Ay!, no, no quiero decir eso. Ni pensarlo siquiera.

BRACK. No tiene usted motivo alguno tampoco.

HEDDA. ¡Oh!, motivo... *(Con una mirada escudriñadora.)* Y en cuanto a Jorge Tesman, hay que decir que es una persona correcta en todos los sentidos.

BRACK. Correcto y ordenado, ya lo creo.

HEDDA. Y realmente, tampoco encuentro que sea ridículo. ¿Y usted?

BRACK. ¿Ridículo? No..., no, eso no.

HEDDA. En todo caso, es un recopilador muy diligente. Y bien puede ocurrir que con el tiempo llegue lejos.

BRACK. *(Mirándola, algo desconcertado.)* Yo creía que usted opinaba, como todo el mundo, que llegaría a ser un hombre eminentísimo.

HEDDA. *(Con expresión cansada.)* Sí, lo creía... Y como él insistía tanto en que yo le permitiera mantenerme..., no sé por qué no iba a aceptarlo...

BRACK. No, no..., desde ese punto de vista...

HEDDA. Siempre era más de lo que mis otros pretendientes estaban dispuestos a hacer, querido asesor.

BRACK. *(Risueño.)* Yo, de hecho, no puedo responder de los demás; pero, en cuanto a mí mismo, ya sabe que siempre he abrigado cierto... temor respetuoso por los lazos del matrimonio. Así, en principio, Hedda.

HEDDA. *(Burlona.)* ¡Oh!, la verdad es que jamás he albergado esperanzas con respecto a usted.

BRACK. A todo lo que yo aspiro es a tener un buen círculo íntimo de conocidos, donde pueda ser útil con consejos y obras, y en el que se me permita ir y venir como... un amigo de confianza.

HEDDA. ¿Del señor de la casa, quiere usted decir?

BRACK. *(Con una inclinación.)* Hablando francamente..., sobre todo de la señora. Pero también del marido, por supuesto. Sabe usted... que unas relaciones... yo diría... triangulares, son en el fondo una gran comodidad para todos.

HEDDA. Sí; varias veces he echado de menos un tercero en el viaje. ¡Ah, tener que estar sentados así los dos solos en el departamento...!

BRACK. Afortunadamente, ya pasó el viaje de novios.

HEDDA. *(Con un gesto negativo.)* Puede que el viaje sea aún largo. Sólo he llegado a una parada en el camino.

BRACK. Pues entonces se apea uno y se desentumece un poco, Hedda.

HEDDA. Yo no me apeo nunca.

BRACK. ¿Nunca?

HEDDA. No, porque siempre hay alguien que...

BRACK. ...que le mira a uno las piernas, querrá usted decir.

HEDDA. Sí, eso es.

BRACK. ¡Oh, por Dios...!

HEDDA. *(Con un mohín de impaciencia.)* No me gusta... Prefiero quedarme sentada... dondequiera que sea, a solas.

BRACK. Pero subirá un tercero a interrumpir.

HEDDA. ¿Ve usted?... *Eso* ya es otra cosa muy distinta.

BRACK. Un amigo leal y comprensivo...

HEDDA. ...entretenido en todos los terrenos...

BRACK. ...y sin nada de especialista.

HEDDA. *(Con un sonoro suspiro.)* Sí, al fin y al cabo, sería un alivio.

BRACK. *(Oye que se abre la puerta del vestíbulo, mira de reojo hacia ella y murmura:)* Se ha cerrado el triángulo.

HEDDA. *(A media voz.)* Y el tren reanuda su marcha.

Jorge Tesman, con traje gris y sombrero flexible, entra por la puerta del vestíbulo. Trae un montón de libros en rústica bajo el brazo y en los bolsillos.

TESMAN. *(Dirigiéndose a la mesa que hay junto al sofá esquinado.)* ¡Uf!, hace demasiado calor para cargar con todo esto. *(Deja los libros encima de la mesa.)* Vengo sudando, Hedda. Pero ¡vaya, vaya!, ¿ha llegado ya, querido asesor? Berta no me ha dicho nada.

BRACK. *(Levantándose.)* He venido por el jardín.

HEDDA. ¿Qué libros son esos que traes?

TESMAN. *(Hojeándolos.)* Unas nuevas revistas especializadas que me son indispensables.

HEDDA. ¿Especializadas?

BRACK. ¡Claro!, son para el especialista, señora Tesman.

Brack y Hedda cambian una sonrisa de inteligencia.

HEDDA. ¿Te hacen falta tantas obras de esas?

TESMAN. Sí, querida Hedda. De estas nunca se tienen demasiadas. Hay que estar al corriente de todo lo que se escribe y se publica.

HEDDA. Sí que hará falta.

TESMAN. *(Buscando entre las publicaciones.)* Mira: he encontrado el nuevo libro de Ejlert Lovborg. *(Se lo ofrece.)* Quizás te interese echarle un vistazo, Hedda, ¿eh?

HEDDA. No, muchas gracias... O... sí, tal vez luego.

TESMAN. Lo he hojeado un poco por el camino.

BRACK. ¿Y qué? ¿Qué le parece a usted, como... especialista?

TESMAN. Me parece notable el equilibrado criterio con que está escrito. Antes no escribía así. *(Recogiendo los libros y revistas.)* Me llevaré todo esto adentro. Va a ser un verdadero placer cortar las hojas. Y luego me vestiré. *(A Brack.)* Sí, porque supongo que no tendremos que salir ahora mismo, ¿eh?

BRACK. ¡Qué va! No hay prisa.

TESMAN. De ser así, lo tomaré con calma. *(Sale con los libros; pero se detiene en la puerta del fondo y se vuelve.)* Te advierto, Hedda, que tía Julle no viene a verte esta noche.

HEDDA. ¿No? ¿Será que aún no ha olvidado el incidente del sombrero?

TESMAN. ¡Qué idea! ¿Cómo puedes creerlo de tía Julle? ¡Vamos! No; es que tía Rina está enferma, ¿comprendes?

HEDDA. Es lo que le pasa siempre.

TESMAN. Sí; pero esta tarde se encontraba la pobre mucho peor.

HEDDA. Ya se comprende que la otra se quede con ella. Tendré que conformarme.

TESMAN. Y no puedes imaginarte lo contenta que está tía Julle, a pesar de todo..., porque te habías repuesto tanto en el viaje.

HEDDA. *(A media voz, levantándose.)* ¡Oh..., qué dichosas tías!

TESMAN. ¿Eh?

HEDDA. *(Dirigiéndose hacia la puerta de cristal.)* Nada.

TESMAN. Bien, bien. *(Atraviesa la habitación del foro y sale por la derecha.)*

BRACK. ¿De qué sombrero hablaba usted?

HEDDA. Es algo que ha acontecido con la señorita Tesman esta mañana. Había dejado su sombrero ahí, en la silla *(lo mira y se sonríe)* y yo fingí creer que era de la criada.

BRACK. *(Moviendo la cabeza.)* Pero, querida Hedda, ¿cómo ha podido usted obrar así con esa buena anciana?...

HEDDA. *(Nerviosa, paseándose.)* Pues ya ve usted. Son antojos que me dan de repente, y no consigo reprimir. *(Se deja caer en el sillón, al lado de la estufa.)* ¡Oh, ni yo misma puedo explicármelo!

BRACK. *(Detrás del sillón.)* En resumen, no es usted feliz. Es ese el secreto de todo.

HEDDA. *(Mirando al vacío.)* Ni yo sé cómo iba a ser... feliz. ¿Podría usted decírmelo quizá?

BRACK. Sí. Entre otras razones, porque tiene usted precisamente el hogar que tanto deseaba.

HEDDA. *(Lo mira y se ríe.)* ¿Usted también cree en esa historia de mis deseos?

BRACK. ¿Tal vez no hay nada de cierto en eso?

HEDDA. Bueno..., algo de cierto hay.

BRACK. ¡Ah!

HEDDA. Es verdad que utilicé a Tesman como acompañante en las fiestas del verano pasado.

BRACK. Por desgracia, yo llevaba un camino opuesto.

HEDDA. En efecto, iba usted por otros caminos el verano pasado.

BRACK. *(Riendo.)* ¡Qué mal está eso, Hedda! ¿De modo que usted y Tesman...?

HEDDA. Sí; pasamos por aquí una noche, y Tesman, el pobre, se exprimía los sesos y no sabía de qué hablar.

Al verlo, sentí compasión del sabio.

BRACK. *(Con una sonrisa de duda.)* ¿Compasión, usted?

HEDDA. Positivamente, la sentía. Y para ayudarlo a salir del apuro, se me ocurrió, a la ligera, decir que me gustaría vivir aquí, en esta villa.

BRACK. ¿Nada más que eso?

HEDDA. Esa noche, no.

BRACK. ¿Y después?

HEDDA. Mi ligereza tuvo consecuencias, querido asesor.

BRACK. Para nuestro mal, Hedda, las tienen con demasiada frecuencia todas nuestras ligerezas.

HEDDA. ¡Gracias! Pero en esta admiración por la villa de la señora Falk fue en lo que Tesman y yo coincidimos, ¿comprende usted? Eso acarrearía noviazgo, matrimonio, viaje de bodas y todo lo demás. Sí, sí, asesor... Por poco digo que «conforme hace uno la cama, así duerme».

BRACK. ¡Inefable! Y en el fondo, quizás no le interesara esto ni de casualidad.

HEDDA. ¡No, bien sabe Dios que no!

BRACK. Bueno; ¿y ahora? ¿Ahora que lo hemos arreglado con tanto esmero para usted?

HEDDA. ¡Puaf!, se me antoja que todas las habitaciones huelen a espliego y a agua de rosas. Pero ese olor lo habrá traído tía Julle.

BRACK. *(Risueño.)* No; más bien estoy inclinado a creer que procede de la difunta señora Falk.

HEDDA. Sí, algo de difunto hay. Me recuerda las flores del baile, al día siguiente. *(Cruza las manos detrás de la nuca, se apoya en el respaldo de su sillón y se queda mirándolo.)* ¡Oh, querido asesor..., no puede usted sospechar cuánto voy a aburrirme aquí!

BRACK. ¿No tendrá la vida algún móvil que brindar a usted, como a otras, Hedda?

HEDDA. ¿Un móvil... que ofreciera algún atractivo?...

BRACK. Eso sería preferible, evidentemente.

HEDDA. ¡Dios sabe qué móvil podría ser! Muchas veces pienso en... *(Interrumpiéndose.)* Pero tampoco me conviene, seguro.

BRACK. ¿Por qué no? Vamos a ver...

HEDDA. Si yo pudiera conseguir que Tesman se dedicara a la política, por ejemplo.

BRACK. *(Riendo.)* ¿Tesman? Pero figúrese; comprenda usted que la política no es muy... vamos, muy indicada para él.

HEDDA. No, eso creo. Pero, aún así..., si yo pudiera convencerlo...

BRACK. Sin embargo, ¿qué satisfacción podría usted hallar en eso, si él no vale para el caso? ¿Por qué quiere usted que lo haga?

HEDDA. Porque me aburro. ¿No se da usted cuenta? *(Pausa.)* ¿Es acaso totalmente imposible que Tesman llegara a ser ministro de Estado?

BRACK. ¡Hum!..., verá usted, querida Hedda... Para eso... se requiere, en primer lugar, ser un hombre bastante rico.

HEDDA. *(Se levanta, impaciente.)* Sin duda. ¡Esta mediocridad a que estoy reducida! *(Paseando.)* Tales pequeñeces hacen la vida tan mísera. ¡Es de lo más ridículo! Sí, por cierto.

BRACK. Deduzco que el mal obedece a otra causa.

HEDDA. ¿Cuál?

BRACK. Que jamás ha tenido usted un objetivo estimulante.

HEDDA. ¿Nada serio, pretende usted decir?

BRACK. Sí, también puede llamarlo así. Pero podría llegar ahora.

HEDDA. *(Con un encogimiento de hombros.)* ¡Ah!, está usted pensando en las gestiones a propósito de ese despreciable cargo de catedrático. Pero ¡que se las arregle Tesman! Yo ni siquiera pienso en el asunto.

BRACK. ¡Concedido! Vamos a prescindir de eso. Me refiero a si recayeran sobre usted... como se dice en estilo más elevado... responsabilidades graves... *(Sonríe.)* Nuevas exigencias, pequeña Hedda.

HEDDA. *(Enfadada.)* ¡Cállese! ¡Nunca verá usted nada de eso!

BRACK. *(Con cautela.)* Hablaremos de eso dentro de... un año a lo sumo.

HEDDA. *(Secamente.)* No tengo vocación para esas responsabilidades, señor asesor. A mí que no me exijan nada.

BRACK. ¿No tiene usted, como la mayor parte de las mujeres, vocación para determinadas obligaciones...?

HEDDA. *(Se ha levantado y permanece junto a la puerta de cristal.)* ¡Oh, cállese, le he dicho! Muchas veces me parece que no tengo vocación más que para una sola cosa en el mundo.

BRACK. *(Se le acerca.)* ¿Y qué es, si puedo preguntar...?

HEDDA. *(Mirando hacia afuera.)* Para aburrirme mortalmente. Ahora ya lo sabe usted. *(Se vuelve, mira hacia la otra habitación y ríe.)* ¡Sí, eso es; ahí tenemos al profesor!

BRACK. *(En voz baja, amonestándola.)* ¡Calma, calma, Hedda! ¡Calma, calma, Hedda!

Jorge Tesman, ya vestido, con los guantes y el sombrero en la mano, entra en el salón.

TESMAN. Hedda, ¿no ha llegado ninguna excusa de Ejlert Lovborg, eh?

HEDDA. No.

TESMAN. Pues bien: verás cómo dentro de poco lo tenemos aquí.

BRACK. ¿Cree usted sinceramente que vendrá?

TESMAN. Sí, estoy casi seguro. Porque lo que usted me contaba esta mañana deben de ser rumores sin fundamento.

BRACK. ¡Cómo!

TESMAN. Sí; al menos, tía Julle me ha dicho que por nada del mundo cree que él pueda cerrarme el camino.

BRACK. En fin, más vale así.

TESMAN. *(Pone el sombrero, con los guantes dentro, encima de una silla, a la derecha.)* Sí; pero me permitirá usted que lo espere lo más posible.

BRACK. Tenemos tiempo de sobra. Hasta las siete y media no irá nadie a mi casa.

TESMAN. Mientras, acompañaremos a Hedda. Hasta que sea la hora, ¿eh?

HEDDA. *(Coloca el abrigo y el sombrero de Brack sobre el sofá del rincón.)* Y en el peor de los casos, el señor Lovborg puede quedarse aquí, conmigo.

BRACK. *(Intentando coger sus cosas él mismo.)* ¡Oh, perdón, señora! ¿Qué quiere usted decir con lo de «en el peor de los casos»?

HEDDA. Que no quiera acompañarlos a ustedes.

TESMAN. *(Mirándola, indeciso.)* Pero, querida Hedda... ¿Crees que está bien que él se quede aquí, contigo, eh? Recuerda que tía Julle no puede venir.

HEDDA. No; pero viene la señora Elvsted. Y tomaremos juntos una taza de té.

TESMAN. ¡Ah!, eso ya es diferente.

BRACK. *(Sonriendo.)* Y puede que para él sea lo más saludable.

HEDDA. ¿Por qué?

BRACK. ¡Dios mío, señora! Bastantes veces ha censurado usted mis pequeñas fiestas de solteros. Decía que sólo eran aptos para hombres de principios firmes.

HEDDA. Pero el señor Lovborg ya debe de ser nuevamente un hombre de principios firmes. Un pecador arrepentido...

Aparece Berta en la puerta del vestíbulo.

BERTA. Señora, hay un señor que desea ser recibido.

HEDDA. Pues hágalo pasar.

TESMAN. *(En voz baja.)* Estoy seguro de que es él. ¡Fíjate! *(Entra Ejlert Lovborg por la puerta del vestíbulo. Es esbelto y delgado, de la misma edad que Tesman, pero parece mayor y algo gastado. Pelo y barba castaño oscuro; cara larga y pálida, con unas manchas encarnadas en los pómulos. Viste elegante traje negro, muy nuevo, guantes oscuros y sombrero de copa en la mano. Se para cerca de la puerta y se inclina precipitadamente. Parece algo turbado. Tes-*

man, yendo hacia él y estrechándole la mano, dice:) ¡Querido Ejlert... al final volvemos a encontrarnos!

LOVBORG. *(Hablando con voz suave.)* Gracias por tu carta. *(Acercándose a Hedda.)* ¿Me permite estrecharle la mano, señora Tesman?

HEDDA. *(Aceptando el saludo.)* Bien venido, señor Lovborg. *(Con un movimiento d la mano.)* No sé si los señores...

LOVBORG. *(Inicia una ligera inclinación.)* El asesor Brack, creo.

BRACK. *(Igual.)* Exacto. Hace muchos años...

TESMAN. *(A Lovborg, con las manos sobre los hombros de este.)* Y ahora, haz como si estuvieras en tu casa, Ejlert. ¿Verdad, Hedda? Por lo que he oído, piensas residir aquí otra vez, ¿eh?

LOVBORG. Eso me propongo.

TESMAN. Y es muy lógico. Oye: he adquirido tu libro. Pero, con franqueza, no he tenido tiempo de leerlo aún.

LOVBORG. Puedes ahorrarte la molestia.

TESMAN. ¿Por qué dices eso?

LOVBORG. Porque no vale gran cosa.

TESMAN. ¡Hombre!... ¿Cómo vas a hablar tú?

BRACK. Pues lo elogian bastante, según tengo entendido.

LOVBORG. Eso era justamente lo que yo quería. Y de ahí que escribiera el libro de modo que estuviese al alcance de todo el mundo.

BRACK. Muy sensato.

TESMAN. Sí; pero, querido Ejlert...

LOVBORG. Porque procuro volver a crearme una posición. Es un recomienzo.

TESMAN. *(Algo embarazado.)* ¿Conque piensas así, eh?

LOVBORG. *(Sonríe, deja el sombrero y saca un paquete del bolsillo del abrigo.)* Cuando aparezca esto..., Jorge..., ¡tendrás que leerlo! Porque aquí está lo mío y me revelo como soy.

TESMAN. ¡Ah!, ¿sí? ¿Y qué es?

LOVBORG. Es la continuación.

TESMAN. ¿La continuación? ¿De qué?

LOVBORG. Del libro.

TESMAN. ¿Del libro reciente?

LOVBORG. Eso mismo.

TESMAN. Pero, querido Ejlert..., si el publicado llega hasta nuestros días...

LOVBORG. Cierto. Y aquí se trata del porvenir.

TESMAN. ¿Del porvenir? Pero, ¡santo Dios!, del porvenir no sabemos absolutamente nada.

LOVBORG. No, aunque hay algo que decir sobre él. *(Abre el paquete.)* Vas a ver...

TESMAN. ¡Esa no es tu letra!

LOVBORG. Lo he dictado. *(Hojeando los papeles.)* Está en dos partes. La primera trata de las potencias civilizadoras en el futuro. Y esta otra... *(hojeando más adelante)* trata del desarrollo de la civilización venidera.

TESMAN. ¡Inconcebible! A mí no me habría pasado por la imaginación escribir nada sobre ese tema.

HEDDA. *(Al lado de la puerta vidriera, tamborileando en los cristales.)* ¡Hum!..., seguro que no.

LOVBORG. *(Enrolla los papeles otra vez y deja el paquete encima de la mesa.)* Lo he traído porque pensaba leerte algo esta noche.

TESMAN. Eres muy amable, Ejlert. Pero esta noche... *(mirando a Brack)* no sé, realmente, cómo podríamos arreglarnos.

LOVBORG. Pues otro día será. No corre prisa.

BRACK. Oiga usted, señor Lovborg... Esta noche hay una pequeña fiesta en mi casa, dedicada sobre todo a celebrar el regreso de Tesman.

LOVBORG. *(Buscando su sombrero.)* ¡Oh!, entonces, no quiero...

BRACK. Escuche un momento. ¿No podría usted proporcionarme el placer de acompañarnos?

LOVBORG. *(Seco y decidido.)* No, no puedo. Se lo agradezco mucho.

BRACK. ¡Vamos, venga! Será en un reducido círculo selecto, y puede creerme que habrá animación, como dice Hed... como dice la señora Tesman.

LOVBORG. No lo dudo. No obstante...

BRACK. Puede usted llevar su manuscrito y leérselo a Tesman en casa, pues hay bastantes habitaciones para que no se le moleste.

TESMAN. Sí, Ejlert; podrías hacerlo allí, ¿eh?

HEDDA. *(Interviniendo.)* Pero, querido, ya ves que el señor Lovborg no quiere... Estoy convencida de que le agradará mucho más quedarse aquí y tomar el té conmigo.

LOVBORG. *(La mira fijamente.)* ¿Con usted, señora?

HEDDA. Y con la señora Elvsted.

LOVBORG. ¡Ah!... *(Como de pasada.)* La vi al mediodía un momento.

HEDDA. ¿La ha visto? Vendrá aquí. Y por eso es casi necesario que se quede usted, señor Lovborg. Si no, nadie podría acompañarla luego a su casa.

LOVBORG. En efecto. Siendo así, me quedo. Muchas gracias, señora.

HEDDA. Voy a dar unas órdenes a la criada. *(Se dirige a la puerta del vestíbulo y toca un timbre de mano.)*

Llega Berta. Hedda habla con ella en voz baja y señala hacia la pieza del fondo. Berta hace un gesto afirmativo con la cabeza y se retira.

TESMAN. *(Al mismo tiempo, a Lovborg.)* Oye, Ejlert: ¿va a ser sobre este nuevo tema, eso del porvenir, sobre lo que vas a dar conferencias?

LOVBORG. Sí.

TESMAN. Porque en la librería me dijeron que proyectabas dar unas cuantas aquí este otoño.

LOVBORG. Sí, eso pienso. Y no debes tomarlo a mal, Tesman.

TESMAN. No, ¡Dios me libre! Pero...

LOVBORG. Comprendo muy bien que te contraríe bastante.

TESMAN. *(Desalentado.)* ¡Bah!, no puedo exigir que por mí...

LOVBORG. Pero esperaré hasta que hayas obtenido tu nombramiento.

TESMAN. ¿Esperarás? Luego..., ¿no deseas competir conmigo, eh?

BRACK. Pero, bueno, el ponche frío no es ningún veneno, que yo sepa.

LOVBORG. Quizá no lo sea para todo el mundo.

HEDDA. Yo haré compañía al señor Lovborg, entre tanto.

TESMAN. Sí, sí, querida Hedda, sustitúyenos.

Tesman y Brack pasan a la segunda habitación, se sientan, beben ponche, fuman y hablan, animados, durante la escena siguiente. Ejlert Lovborg se queda en pie al lado de la estufa. Hedda se dirige al escritorio.

HEDDA. *(Levantando un poco la voz.)* Le enseñaré unas fotografías, si quiere. Es que Tesman y yo... visitamos el Tirol al regreso. *(Trae un álbum, que pone encima de la mesa situada delante del sofá, y se sienta en el rincón. Lovborg se acerca a ella y se queda mirándola. Luego toma una silla y se sienta a la izquierda de Hedda, dando la espalda al otro salón. Hedda abre el álbum.)* ¿Ve usted este grupo de montañas, señor Lovborg? Es el de Ortler. Tesman lo escribió debajo. Aquí lo dice: «Grupo de Ortler, cerca de Merano».

LOVBORG. *(Que no ha dejado de mirarla.)* ¡Hedda... Gabler!

HEDDA. *(Mirándolo de soslayo, furtivamente.)* Vamos, ¡chist!

LOVBORG. *(Repite en voz baja.)* ¡Hedda Gabler!

HEDDA. *(Mirando el álbum.)* Sí, así me llamaba en otro tiempo, cuando... usted y yo nos conocimos.

LOVBORG. Y en adelante... para toda la vida... tengo que quitarme la costumbre de decir Hedda Gabler.

LOVBORG. No. Sólo deseo triunfar sobre ti en la opinión pública.

TESMAN. Pero, buen Dios..., tenía razón tía Julle. Sí..., ¡ya lo sabía yo! Hedda, fíjate: Ejlert no quiere de ningún modo interponerse en nuestro camino.

HEDDA. *(Con sequedad.)* ¿Nuestro camino? Haz el favor de excluirme a mí. *(Se dirige a la otra pieza, donde Berta está poniendo una bandeja con botellas y vasos encima de la mesa. Hedda hace un gesto de aprobación con la cabeza y vuelve. Sale Berta.*

TESMAN. *(A la vez.)* Pero, ¿y usted, Brack? ¿Qué dice a esto, eh?

BRACK. Pues digo que el honor y la victoria... ¡ejem!, pueden ser... cosas muy hermosas.

TESMAN. Sí, ya lo creo, No obstante...

HEDDA. *(Mirando a Tesman con una sonrisa fría.)* Parece que te ha caído un rayo.

TESMAN. Sí... casi..., no lo niego.

BRACK. Es que era toda una tormenta lo que se cernía sobre nosotros, señora.

HEDDA. *(Señalando hacia el otro salón)* ¿No quieren los señores tomar un vaso de ponche frío?

BRACK. *(Mirando su reloj.)* ¿Como despedida? Sí, no es mala idea.

TESMAN. ¡Magnífico, Hedda, excelente! Puesto que se me ha quitado ese peso de encima...

HEDDA. Usted también, señor Lovborg, tenga la bondad.

LOVBORG. *(Rehusando.)* No, muchas gracias. Para mí, no.

HEDDA. *(Sigue hojeando.)* Sí, no hay remedio. Y entiendo que debía usted quitarse la costumbre a tiempo. Cuanto antes mejor, a mi juicio.

LOVBORG. *(Con voz llena de indignación.)* ¡Hedda Gabler, casada! Y con... Jorge Tesman.

HEDDA. Sí..., cosas que pasan.

LOVBORG. ¡Oh, Hedda, Hedda!... ¿Cómo has podido malograrte así?

HEDDA. *(Con una mirada severa.)* ¡No, eso no, aquí!

LOVBORG. ¿Qué quieres decir?

Entra Tesman y se acerca al sofá.

HEDDA. *(Lo oye venir y dice con indiferencia:)* Y esto, señor Lovborg, es el valle de Ampezzo. Fíjese en esos picos. *(Levanta la cabeza y mira amablemente a Tesman.)* ¿Cómo se llaman esos picos tan extraños?

TESMAN. Déjame ver... ¡Ah!, esos son los Dolomitas.

HEDDA. Sí, eso es. Son los Dolomitas, señor Lovborg.

TESMAN. Oye, Hedda, sólo venía a preguntarte si quieres que traiga un poco de ponche para ti, al menos, ¿eh?

HEDDA. Sí, muchas gracias. Y unas galleticas.

TESMAN. Cigarros, ¿no?

HEDDA. No.

TESMAN. Conforme. *(Entra en la habitación del fondo y sale por la derecha.)*

Brack está sentado allí dentro, y de cuando en cuando espía a Hedda y a Lovborg.

LOVBORG. *(En voz baja, como antes.)* Respóndeme, Hedda. ¿Cómo pudiste hacer eso?

HEDDA. *(Aparentemente absorta en el álbum.)* Si continúa tuteándome, no hablaré más con usted.

LOVBORG. ¿No puedo decir «tú» ni cuando estemos solos?

HEDDA. No. Puede usted pensarlo, pero no decirlo.

LOVBORG. Ya comprendo. Hiero su amor... por Jorge Tesman.

HEDDA. *(Lo mira de soslayo y sonríe.)* ¿Amor? ¡Tiene gracia!

LOVBORG. ¿De manera que amor no?

HEDDA. Ni tampoco infidelidad. No quiero eso.

LOVBORG. Hedda..., respóndeme a una pregunta solamente.

HEDDA. ¡Chist!

Tesman viene del otro salón con una bandeja que coloca encima de la mesa.

HEDDA. ¿Por qué sirves tú mismo?

TESMAN. *(Llenando los vasos.)* Porque me gusta mucho servirte, Hedda.

HEDDA. Has llenado dos vasos, y el señor Lovborg no quiere.

TESMAN. No. Pero no tardará en venir la señora Elvsted.

HEDDA. Sí, es verdad... La señora Elvsted.

TESMAN. La habías olvidado, ¿eh?

HEDDA. Estábamos tan absortos con esto... *(Le enseña una fotografía.)* ¿Te acuerdas de esta aldehuela?

TESMAN. Sí: es la aldehuela que hay a la entrada del Brennero. Allí pasamos la noche...

HEDDA. *(Interrumpiéndolo.)* ...y encontramos aquellos veraneantes tan alegres.

TESMAN. Ciertamente, allí fue. Fíjate, Ejlert. Si hubiéramos podido llevarte... ¡Ah! *(Se aparta y va a sentarse con Brack.)*

LOVBORG. Respóndame sólo a esto, Hedda.

HEDDA. ¿A qué?

LOVBORG. ¿Tampoco había amor en tus relaciones conmigo? ¿Ni un indicio... ni un reflejo de amor?

HEDDA. ¡Qué sé yo si en el fondo lo había! Más bien lo recuerdo como una buena amistad. Éramos dos camaradas íntimos. *(Sonríe.)* Usted, sobre todo, era muy franco.

LOVBORG. Usted lo quería así.

HEDDA. Si pienso en eso... se me antoja que había algo de hermoso, de seductor y hasta de valiente en aquella intimidad reservada..., en aquella camaradería que nadie sospechaba.

LOVBORG. Sí. ¿Verdad, Hedda, que había algo de todo eso? Cuando yo iba por la tarde a ver a su padre..., el general estaba sentado junto a la ventana, leyendo los periódicos y volviéndonos la espalda...

HEDDA. Y nosotros dos en el sofá del rincón...

LOVBORG. Siempre con la misma revista delante.

HEDDA. A falta de un álbum, sí.

LOVBORG. Sí, Hedda... Y cuando yo me confesaba a usted... contándole de mí mismo eso de lo que nadie sabía nada... sentado allí, confesándole que llevaba días de orgías, días y noches enteras... ¡Oh, Hedda! ¿Qué poder había en usted que me obligaba a contarle esos detalles?

HEDDA. ¿Cree usted que había un poder en mí?

LOVBORG. Sí. ¿Cómo podría explicarse, si no? Y todas esas... preguntas indirectas que usted me hacía...

HEDDA. Y que usted comprendía tan bien...

LOVBORG. ¿Cómo podía usted hacer esas preguntas tan... audaces?

HEDDA. Indirectas, por favor.

LOVBORG. Pues... eso es lo que no comprendo bien... ahora. Pero, dígame, Hedda, ¿no había amor en el fondo de nuestras relaciones? ¿No era, por parte suya, como si quisiera purificarme cuando yo acudía a usted para confesarme? ¿No era eso?

HEDDA. No, no del todo.

LOVBORG. ¿Qué la impulsaba, pues?

HEDDA. ¿Encuentra usted tan inexplicable que una muchacha... cuando puede hacerlo así... a escondidas...?

LOVBORG. ¿Qué?

HEDDA. ¿...quiera atisbar un poco en un mundo que...?

LOVBORG. ¿Qué?

HEDDA. ¿...que no le está permitido conocer?

LOVBORG. ¡Ah!, ¿era eso?

HEDDA. Eso, además..., me figuro.

LOVBORG. Camaradería en un anhelo de vivir. ¡Y que no haya podido continuar *eso,* a pesar de todo!

HEDDA. Usted mismo tiene la culpa.

LOVBORG. Fue usted quien rompió.

HEDDA. Sí, cuando hubo peligro inminente de que interviniera la realidad en nuestras relaciones. Debería avergonzarse, Ejlert Lovborg, de cómo quiso atentar contra... contra su audaz camarada.

LOVBORG. *(Retorciéndose las manos.)* ¡Oh! ¿Por qué no pudo llevar usted a cabo su amenaza? ¿Por qué no me disparó un tiro?

HEDDA. Porque tengo mucho miedo al escándalo.

LOVBORG. Sí, Hedda. Bien mirado, es usted cobarde.

HEDDA. Terriblemente cobarde. *(Cambiando de tono.)* Pero fue una suerte para usted. Y ya se ha consolado de un modo delicioso en casa de los Elvsted.

LOVBORG. Sé lo que le ha confiado Thea.

HEDDA. Y tal vez le haya confiado usted a ella algo de nosotros dos.

LOVBORG. Ni una palabra. Es demasiado tonta para comprender.

HEDDA. ¿Tonta?

LOVBORG. Para esas cosas, tonta de remate.

HEDDA. Y yo, cobarde. *(Se inclina hacia él, sin mirarlo, y dice en voz baja:)* Pero ahora quiero confiarle algo a usted.

LOVBORG. *(Emocionado.)* ¿Qué?

HEDDA. Eso de no atreverme a disparar sobre usted...

LOVBORG. ¿Sí?

HEDDA. ...no fue mi mayor cobardía... aquella noche.

LOVBORG. *(Se queda mirándola un momento y dice en voz baja, con pasión:)* ¡Oh, Hedda, Hedda Gabler! ¡Por fin vislumbro algo escondido bajo la camaradería! ¡Tú y yo!... A despecho de lo que fuese, te llamaba la vida...

HEDDA. *(Con una ojeada aguda.)* ¡Tenga usted cuidado! ¡No crea semejante cosa! *(Ha empezado a oscurecer. Berta abre desde fuera la puerta del vestíbulo. Inmediatamente Hedda cierra el álbum y exclama, sonriendo:)* ¡Por fin! Pasa, pasa, querida Thea. *(Entra la Señora Elvsted, mejor vestida que la primera vez, y se cierra la puerta tras ella. Hedda, sin levantarse, le tiende los brazos.)* ¡Querida Thea! No puedes imaginarte cómo te esperaba.

La Señora Elvsted, al pasar, cambia un ligero saludo con los señores del salón posterior. Se dirige a la mesa y tiende la mano a Hedda. Lovborg se ha levantado. Él y la Señora Elvsted se saludan, sin palabras, con una inclinación de cabeza.

SEÑORA ELVSTED. ¿Tendré que ir a hablar un poco con tu marido?

HEDDA. Nada de eso. Déjalos; se irán pronto.

SEÑORA ELVSTED. ¿Se van?

HEDDA. Sí; van de fiesta.

SEÑORA. ELVSTED. *(Rápidamente, a Lovborg.)* Usted no, supongo.

LOVBORG. No.

HEDDA. El señor Lovborg se queda con nosotras.

SEÑORA ELVSTED. *(Toma una silla y quiere sentarse al lado de Lovborg.)* ¡Ah, qué bien se está aquí!

HEDDA. ¡No, mi pequeña Thea! ¡En ese lugar, no! Ven a sentarte conmigo. Quiero estar en el medio.

SEÑORA ELVSTED. Como gustes. *(Da la vuelta a la mesa y se sienta en el sofá, al lado de Hedda.)*

Lovborg vuelve a sentarse en la silla.

LOVBORG. *(Tras de una corta pausa, a Hedda.)* ¿No da gusto mirarla?

HEDDA. *(Acariciando suavemente el pelo de la Señora Elvsted)* ¿Mirarla... nada más?

LOVBORG. Sí Porque nosotros dos, ella y yo, somos verdaderos camaradas. Creemos incondicionalmente el uno en el otro. Y por eso podemos estar sentados hablando libremente.

HEDDA. ¿Sin... indirectas, señor Lovborg?

LOVBORG. ¡Ejem!...

SEÑORA ELVSTED. *(A media voz, arrimándose a Hedda.)* ¡Oh, qué dichosa soy, Hedda! Porque, fíjate, dice que le he servido de inspiración.

HEDDA. *(Contemplándola, sonriente.)* ¡No! ¿Dice eso?

LOVBORG. Y además, ese valor que tiene para la acción, señora Tesman...

SEÑORA ELVSTED. ¡Bendito Dios! ¿Valor yo?

LOVBORG. Inconmensurable... cuando se trata del camarada.

HEDDA. Sí, valor... sí. ¡Quién lo tuviera! Si yo lo tuviese....

LOVBORG. ¿Qué sucedería?

HEDDA. Aún podría quizás vivir la vida. *(Cambia de tono.)* Pero ahora, mi querida Thea, vas a tomar un buen vaso de ponche frío.

SEÑORA ELVSTED. No, gracias. No bebo nunca esas cosas.

HEDDA. ¿No? Entonces, usted, señor Lovborg.

LOVBORG. Gracias; yo tampoco.

SEÑORA ELVSTED. ¡No, él tampoco!

HEDDA. *(Mirando a Lovborg.)* ¿Y si lo quiero yo?

LOVBORG. Sería inútil.

HEDDA. *(Se ríe.)* ¿Conque no tengo ningún poder sobre usted? ¡Pobre de mí!

LOVBORG. Para eso, no.

HEDDA. Hablando en serio, opino que debía usted hacerlo de todos modos.

SEÑORA ELVSTED. Pero..., ¡Hedda!

LOVBORG. ¿En qué sentido?

HEDDA. O por la gente, mejor dicho.

LOVBORG. ¡Ah!, ¿sí?

HEDDA. Sería fácil que la gente pensara que usted... en su fuero interno... no se siente tan arriesgado..., tan seguro de sí.

SEÑORA ELVSTED. *(En voz baja.)* ¡Ay, no, Hedda!

LOVBORG. La gente puede creer lo que quiera... hasta nueva orden.

SEÑORA ELVSTED. *(Contenta.)* Sí, ¿verdad?

HEDDA. Lo he visto tan claramente en la cara del asesor Brack hace poco.

LOVBORG. ¿Qué ha visto usted?

HEDDA. Su sonrisa burlona cuando no se atrevía usted a acompañarlos ahí dentro, a la mesa.

LOVBORG. ¿Que no me atrevía? Prefería, naturalmente, quedarme aquí, hablando con usted.

SEÑORA ELVSTED. Es muy comprensible, Hedda.

HEDDA. Pero no podía suponerlo el asesor. Y también he visto cómo sonreía, mirando de reojo a Tesman, cuando tampoco se atrevía a aceptar la invitación a su fiestecita.

LOVBORG. ¿Que no me atrevía? ¿Dice usted que no me atrevía?

HEDDA. Yo, no. Pero así lo ha interpretado el asesor Brack.

LOVBORG. Pues que lo interprete como quiera.

HEDDA. ¿De manera que no va usted?

LOVBORG. Me quedo aquí, con usted y Thea.

SEÑORA ELVSTED. ¡Sí, Hedda! Ya podías haberlo supuesto.

HEDDA. *(Sonríe y hace un gesto de aprobación con la cabeza.)* Por lo visto, es usted inquebrantable. Hombre de principios para siempre. ¡Vaya!, así es como debe ser un hombre. *(Volviéndose a la señora Elvsted y acariciándola.)* ¿Ves: no te lo decía cuando viniste a verme esta mañana tan trastornada?

LOVBORG. *(Asombrado.)* ¿Trastornada?

SEÑORA ELVSTED. *(Temerosa.)* ¡Hedda!... Pero..., ¡Hedda!...

HEDDA. Ya lo ves tú misma. No tiene razón de ser, en modo alguno, esa angustia mortal... *(Interrumpiéndose.)* Por tanto, podremos estar los tres juntos y alegres.

LOVBORG. *(Se ha estremecido.)* ¡Ah! ¿Qué quiere usted decir, señora Tesman?

SEÑORA ELVSTED. ¡Por Dios, Hedda! ¿Qué estás diciendo? ¿Y qué haces?

HEDDA. ¡Cálmate! Ese condenado asesor no te quita los ojos de encima.

LOVBORG. ¿Y a qué viene esa angustia mortal por mí?

SEÑORA ELVSTED. *(En voz baja y lastimera.)* ¡Ay, Hedda, qué desgraciada acabas de hacerme!

LOVBORG. *(Se queda mirándola fijamente un rato. Su rostro está contraído.)* ¿De manera que esta es la fe ciega que mi camarada tiene en mí?...

SEÑORA ELVSTED. *(Suplicante.)* ¡Oh, querido amigo..., antes debes saber...!

LOVBORG. *(Toma uno de los vasos llenos de ponche, lo levanta y dice en voz alta y ronca:)* ¡A tu salud, Thea! *(Vacía el vaso, lo deja sobre la mesa y toma el otro.)*

SEÑORA ELVSTED. *(Por lo bajo.)* ¡Oh, Hedda, Hedda!..., ¿cómo has podido buscar esto?...

HEDDA. ¡Yo! ¿Estás loca?

LOVBORG. Y a la salud de usted, señora Tesman. ¡Gracias por la verdad! ¡Viva la verdad! *(Vacía la copa y quiere llenarla de nuevo.)*

HEDDA. *(Poniendo la mano sobre el brazo de Lovborg.)* ¡Basta, basta por el momento! Recuerde que va usted de fiesta.

SEÑORA ELVSTED. ¡No, no, no...!

HEDDA. ¡Chist! Te están mirando.

LOVBORG. *(Deja el vaso.)* Escucha, Thea: sé franca.

SEÑORA ELVSTED. ¡Sí!

LOVBORG. ¿Se enteró el juez de que venías detrás de mí?

SEÑORA ELVSTED. *(Retorciéndose las manos.)* ¡Oh, Hedda, Hedda! ¿Oyes lo que me pregunta?

LOVBORG. ¿Fue un convenio entre ustedes que tú vinieras a la ciudad para vigilarme? ¿Fue, quizá, el mismo juez quien sugirió que lo hicieras? Sí, por supuesto..., me necesitaba todavía en el despacho. ¿O me echaba de menos para jugar a las cartas?

SEÑORA ELVSTED. *(Gimiendo por lo bajo.)* ¡Oh, Lovborg...!

LOVBORG. *(Coge un vaso y quiere llenarlo.)* ¡A la salud del viejo juez también!

HEDDA. *(Impidiéndole que lo haga.)* ¡No más! Recuerde que va usted a salir, y que va a leer para Tesman.

LOVBORG. *(Tranquilo, deja el vaso.)* Ha sido una estupidez por mi parte, Thea. De todas maneras, no debías haber tomado las cosas así. No estés, pues, enfadada conmigo, mi querida camarada. Ya verán tú y los demás que si una vez caí... me he levantado; gracias a ti, Thea.

SEÑORA ELVSTED. *(Radiante de alegría.)* ¡Alabado sea Dios!... *(Mientras, Brack mira su reloj. Él y Tesman se levantan y entran en el salón.)*

BRACK. *(Recoge su sombrero y su abrigo.)* Señora Tesman, ya ha llegado nuestra hora.

HEDDA. Sí, lo presumo

LOVBORG. *(Se levanta.)* Y la mía, señor asesor.

SEÑORA ELVSTED. *(En voz baja y suplicante.)* ¡Oh, Lovborg, no hagas eso!

HEDDA. *(Pellizcándole el brazo.)* ¡Están oyéndote!

SEÑORA ELVSTED. *(Débilmente.)* ¡Ay!

LOVBORG. *(A Brack.)* Ha sido usted muy amable al invitarme.

BRACK. Entonces, ¿viene usted?

LOVBORG. Sí; muchas gracias.

BRACK. Me alegro mucho.

LOVBORG. *(Se guarda el paquete en el bolsillo y dice a Tesman:)* Es que me gustaría leerte algo antes de darlo a la imprenta.

TESMAN. Sí; es natural. ¡Qué bien! Pero, querida Hedda, ¿quién va a acompañar a la señora Elvsted a su casa?

HEDDA. ¡Bah!, ya veremos cómo nos arreglamos.

LOVBORG. *(Mirando a las dos señoras.)* Señora Elvsted, yo vendré a buscarla, como es de rigor. *(Volviéndose.)* A eso de las diez, ¿les parece bien?

HEDDA. Sí, muy bien.

TESMAN. En ese caso, todo está resuelto. Pero a mí no me esperes tan temprano, Hedda.

HEDDA. ¡Oh, querido!, quédate todo el tiempo que gustes.

SEÑORA ELVSTED. *(Con mal disimulada angustia.)* Señor Lovborg..., ya sabe que estaré aquí hasta que vuelva.

LOVBORG. *(Con el sombrero en la mano.)* Convenido, señora.

BRACK. ¡Señores viajeros del placer, al tren! Espero que habrá animación, como dice cierta bella señora.

HEDDA. ¡Oh, si la bella señora pudiera estar presente, pero invisible!...

BRACK. ¿Por qué invisible?

HEDDA. Para poder escuchar algunos de sus animados dicharachos, señor asesor.

BRACK. *(Riendo.)* Pues no aconsejaría yo eso a la bella señora.

TESMAN. *(Riendo a su vez.)* ¡Qué salidas tienes, Hedda! ¡Quién lo diría!

BRACK. Adiós, adiós, señora.

LOVBORG. *(Inclinándose para despedirse.)* Así, pues, alrededor de las diez.

Brack, Lovborg y Tesman salen por la puerta del vestíbulo. Inmediatamente llega Berta por la otra habitación, con una lámpara encendida, que deja sobre la mesa, y vuelve a salir por donde ha entrado.

SEÑORA ELVSTED. *(Se levanta y vaga, intranquila, de un lado a otro.)* ¡Hedda..., Hedda! ¿Cómo terminará todo esto?

HEDDA. Volverá a las diez. Me lo represento coronado de pámpanos, ardiente y audaz.

SEÑORA ELVSTED. ¡Ojalá aciertes!

HEDDA. Y entonces, ¿comprendes? Habrá recuperado el dominio de sí mismo; entonces será un hombre libre para toda la vida.

SEÑORA ELVSTED. ¡Oh, Dios mío! Si... volviera como te lo representas...

HEDDA. Volverá así y no de otro modo. *(Se yergue y se le acerca.)* Tú puedes dudar todo lo que quieras; pero yo creo en él. ¡Y ya veremos!

SEÑORA ELVSTED. ¡Me ocultas algo, Hedda!

HEDDA. ¡Y tanto! Por una sola vez en mi vida quiero tener poder sobre un destino humano.

SEÑORA ELVSTED. ¿Y no lo tienes?

HEDDA. No lo tengo... y nunca lo tuve.

SEÑORA ELVSTED. Pero ¿y sobre el de tu marido?

HEDDA. ¡Sí que valdría la pena! ¡Oh, si pudieras comprender lo pobre que soy! ¡Y tú que tienes la suerte de ser tan rica!... *(Abrazándola con fuerza.)* Presiento que acabaré quemándote el pelo.

SEÑORA ELVSTED. ¡Suéltame, suéltame! ¡Me das miedo, Hedda!

BERTA. *(Entrando.)* El té está servido en el comedor, señora.

HEDDA. Bueno; ya vamos.

SEÑORA ELVSTED. ¡No, no! Prefiero volver a casa sola. Enseguida.

HEDDA. ¡Tonterías! Primero tienes que tomar el té, cabecita loca, y luego, a las diez, vendrá Ejlert Lovborg... coronado de pámpanos. *(Se lleva a Thea, casi a la fuerza, hacia la puerta.)*

ACTO TERCERO

La misma decoración de los actos anteriores. Las cortinas de la puerta vidriera y de la del foro aparecen corridas. La lámpara, amortiguada, continúa encima de la mesa. En la estufa, cuya trampilla está abierta, casi se ha apagado el fuego.

La señora Elvsted, envuelta en un gran chal y con los pies encima de un taburete, está derrumbada en un sillón, junto a la estufa. Hedda duerme en el sofá, vestida y cubierta con una manta.

SEÑORA ELVSTED. *(Tras de una pausa, se yergue y escucha, conteniendo la respiración. Luego, cansada, se desploma nuevamente en el sillón, gimiendo bajo.)* ¡Ay, Dios, todavía no, todavía no! *(Berta entra de puntillas por la puerta del vestíbulo. Trae una carta en la mano. La señora Elvsted se vuelve y cuchichea, ansiosa:)* ¿Ha venido alguien?

BERTA. *(En voz baja.)* Sí; acaba de venir una criada con esto.

SEÑORA ELVSTED. *(Con viveza alarga la mano.)* ¡Una carta! ¡Dámela!

BERTA. Perdone la señora; es para el doctor.

SEÑORA ELVSTED. ¡Ah!...

BERTA. Era la criada de la señorita Tesman. La dejo aquí, encima de la mesa.

SEÑORA ELVSTED. Como quiera.

BERTA. Será mejor que apague la lámpara; está ahumando.

SEÑORA ELVSTED. Sí, apáguela; no tardará en amanecer.

BERTA. Es de día ya, señora.

SEÑORA ELVSTED. Sí, completamente de día. ¡Y sin volver aún!

BERTA. Ya me figuraba yo que iba a suceder esto.

SEÑORA ELVSTED. ¿Se lo figuraba?

BERTA. Sí. Cuando supe que cierto señor había vuelto a la ciudad, pues... Y que se iba con ellos... En otro tiempo dio mucho que decir ese señor.

SEÑORA ELVSTED. No hable usted tan alto; va a despertar a la señora.

BERTA. *(Mira el sofá y suspira.)* ¡No, por Dios! Que duerma la pobre. ¿Echo un poco más de leña al fuego?

SEÑORA ELVSTED. Por mí, no; gracias.

BERTA. Bien. *(Sale silenciosamente por la puerta del vestíbulo.)*

HEDDA. *(Se despierta al cerrarse la puerta.)* ¿Qué pasa?

SEÑORA ELVSTED. Era la criada, nada más.

HEDDA. ¡Ah, aquí...! Sí, ya recuerdo... *(Se sienta, se despereza y se frota los ojos.)* ¿Qué hora es, Thea?

SEÑORA ELVSTED. *(Mirando su reloj.)* Más de las siete.

HEDDA. ¿A qué hora ha vuelto Tesman?

SEÑORA ELVSTED. No ha llegado todavía.

HEDDA. ¿Todavía no ha llegado?

SEÑORA ELVSTED. *(Se levanta.)* No ha venido nadie.

HEDDA. ¡Y nosotras hemos estado aquí en vela esperando hasta las cuatro!...

SEÑORA ELVSTED. *(Retorciéndose las manos.)* ¡Y qué espera ha sido la mía!

HEDDA. *(Bosteza y dice, con la mano delante de la boca:)* ¡Vaya!..., podíamos habernos ahorrado la vigilia.

SEÑORA ELVSTED. ¿Has conseguido dormir algo?

HEDDA. Sí. Creo que he dormido bastante bien ¿Y tú?

SEÑORA ELVSTED. Ni un instante. ¡No podía, Hedda!

HEDDA. *(Se levanta a su vez y se acerca a Thea.)* ¡Vamos, vamos!, no hay por qué preocuparse tanto. Comprendo muy bien lo ocurrido.

SEÑORA ELVSTED. ¿Sí, tú crees? ¿Y cómo?

HEDDA. Pues que se han entretenido hasta muy tarde en casa del asesor.

SEÑORA ELVSTED. ¡Oh, Dios mío! Sí..., es lo más probable... Sin embargo...

HEDDA. Y entonces, ¿comprendes?, Tesman habrá preferido no volver a casa haciendo ruido y tocando la puerta a las tantas de la noche. *(Se ríe.)* Quizás no tuviera gana tampoco de dejarse ver... después de una fiesta alegre.

SEÑORA. ELVSTED. Pero, querida..., ¿adónde habrá ido?

HEDDA. Sin duda, a casa de las tías y se ha quedado a dormir allí, ya que ellas tienen su antigua habitación disponible.

SEÑORA ELVSTED. No; con ellas no puede estar, porque acaba de venir una carta de la señorita Tesman para él. Ahí la tienes.

HEDDA. ¿Sí? *(Mirando el sobre.)* En efecto, está escrita por tía Julle. ¡Bah!, se quedarían en casa del asesor, y Ejlert Lovborg se sentaría... coronado de pámpanos, para leer en voz alta.

SEÑORA ELVSTED. ¡Oh!, Hedda, dices cosas que ni tú misma crees.

HEDDA. De veras, eres una cabeza loca, Thea.

SEÑORA ELVSTED. ¡Oh!, sí, por desgracia, lo soy, es cierto.

HEDDA. Pareces muy cansada.

SEÑORA ELVSTED. Y lo estoy en realidad.

HEDDA. Por eso vas a hacer lo que yo te diga. Ve a mi habitación y échate un rato en la cama.

SEÑORA ELVSTED. No, no... De ninguna manera podría dormir.

HEDDA. Sí, claro que sí.

SEÑORA ELVSTED. No. Además, tu marido no tardará en llegar, y tienes que avisarme enseguida...

HEDDA. Sí, mujer. Ya te avisaré en cuanto llegue.

SEÑORA ELVSTED. ¿Me lo prometes, Hedda?

HEDDA. Puedes estar segura. Anda, ve a dormir mientras tanto.

SEÑORA ELVSTED. Gracias; al menos, voy a intentarlo. *(Sale por la habitación del foro.)*

Hedda se dirige a la puerta de cristal y descorre las cortinas. Entra la luz del día a raudales en el salón. Luego Hedda toma del escritorio un espejo de mano, se mira y se arregla el pelo. A continuación se dirige a la puerta del vestíbulo y toca el timbre. Al poco rato aparece Berta en el umbral.

BERTA. ¿Desea algo la señora?

HEDDA. Sí. Cargue un poco la estufa. Estoy tiritando aquí.

BERTA. ¡Jesús! Pronto hará calor. *(Escarba las brasas y echa leña. Se detiene y escucha.)* Han llamado a la puerta, señora.

HEDDA. Pues vaya a abrir. Ya cuidaré yo de la estufa.

BERTA. Enseguida hará llama. *(Sale por la puerta del vestíbulo.)*

Hedda se arrodilla en la banqueta y mete más leña en la estufa. Jorge Tesman entra momentos después por la puerta del vestíbulo. Tiene el aire fatigado y un tanto grave. Anda de puntillas y pretende deslizarse entre las cortinas.

HEDDA. *(Al lado de la estufa, sin levantar la cabeza.)* Buenos días.

TESMAN. *(Volviéndose.)* ¡Hedda! *(Se acerca.)* Pero ¡cómo!, ¿levantada tan temprano?

HEDDA. Sí; hoy me he levantado muy temprano.

TESMAN. ¡Y yo que estaba tan convencido de que dormías aún! ¡Mira, Hedda!

HEDDA. No hables tan alto. La señora Elvsted duerme acostada en mi habitación.

TESMAN. ¿Se ha quedado aquí esta noche la señora Elvsted?

HEDDA. Sí, como no vino nadie a buscarla...

TESMAN. No, evidentemente.

HEDDA. *(Cierra la trampilla de la estufa y se incorpora.)* ¿Y qué, te has divertido en casa del asesor?

TESMAN. ¿Has estado intranquila por mí, eh?

HEDDA. No; ni lo he pensado siquiera. Pero te preguntaba si te has divertido.

TESMAN. Sí, la verdad. Por una vez... Pero sobre todo al principio, cuando Ejlert me leía lo que ha escrito. Porque llegamos demasiado temprano, más de una hora, ¡figúrate! Y Brack, como es natural, tenía muchas cosas que preparar. Entonces leyó Ejlert.

HEDDA. *(Sentándose hacia el lado derecho de la mesa.)* Vamos, cuéntame.

TESMAN. *(Se sienta en un taburete junto a la estufa.)* No, Hedda; jamás podrás imaginarte qué obra va a ser esa. Es de lo más notable que se ha escrito, por supuesto. ¡Imagínate!

HEDDA. Bien, bien; pero eso me da igual.

TESMAN. Quiero confesarte una cosa, Hedda. Cuando acabó de leer... se apoderó de mí un mal sentimiento.

HEDDA. ¿Un mal sentimiento?

TESMAN. Sí. Tuve envidia de Ejlert, que ha podido escribir un libro así. ¡Fíjate!

HEDDA. Sí, ya lo estoy viendo.

TESMAN. No obstante, pensar que él... con ese talento... es incorregible, desgraciadamente...

HEDDA. ¿Quieres decir que tiene una existencia más intensa que otros?

TESMAN. No, mujer... Es que en el placer no puede moderarse, ¿comprendes?

HEDDA. ¿Y al fin, cómo resultó la fiesta?

TESMAN. A mi entender, puede calificarse de verdadera bacanal.

HEDDA. ¿Estaba él coronado de pámpanos?

TESMAN. ¿De pámpanos? No, no vi nada de eso. Pero pronunció un confuso discurso sobre la mujer que lo había inspirado en su trabajo. Sí; empleó esa palabra.

HEDDA. ¿Nombró a esa mujer?

TESMAN. No, eso no. Pero deduzco que tiene que ser la señora Elvsted. ¡Ya ves!

HEDDA. Bueno. Y a la vuelta, ¿dónde te separaste de él?

TESMAN. En la carretera. Salimos los últimos, con unos cuantos más. También venía el asesor, quería tomar un poco de aire fresco. Luego, ¿comprendes?, nos pusimos de acuerdo para acompañar a Ejlert a su casa. Sí, porque estaba bastante mareado.

HEDDA. Ya lo supongo.

TESMAN. Pero ahora viene lo más notable, Hedda. O lo más triste, debía quizás decir. ¡Oh, casi me avergüenzo de contarlo... por Ejlert!

HEDDA. En fin, ¿de qué se trata?

TESMAN. Pues bien: cuando caminando, me quedé un poco detrás, sólo un par de minutos, fíjate...

HEDDA. Sí, sí. ¡Señor! Pero...

TESMAN. Y mientras apretaba el paso para alcanzar a los demás, ¿a que no sabes lo que me encuentro al lado de la cuneta, eh?

HEDDA. ¡No! ¿Cómo quieres que lo sepa, si no estaba allí?

TESMAN. Pero ¡no se lo digas a nadie, Hedda! ¿Lo oyes? Prométemelo, por Ejlert. *(Saca del bolsillo del abrigo un paquete.)* Fíjate..., me encontré esto.

HEDDA. ¿No es el paquete que traía ayer?

TESMAN. Sí; es su precioso e insustituible manuscrito. Y lo había perdido así, sin darse cuenta. ¡Fíjate, Hedda; qué tristeza!

HEDDA. Pero ¿por qué no se lo devolviste entonces?

TESMAN. No; no me decidí a eso... en vista del estado en que se hallaba.

HEDDA. ¿Y no le dijiste a los demás que lo habías encontrado?

TESMAN. ¡Ah, no! No quería, por Ejlert, como comprenderás.

HEDDA. ¿De manera que nadie sabe que tú tienes el manuscrito de Lovborg?

TESMAN. No. Y nadie debe saberlo.

HEDDA. ¿De qué hablaste con él después?

TESMAN. No he hablado con él de nada. Porque, cuando ya entrábamos en las calles, él y dos o tres más se nos perdieron. ¡Fíjate!

HEDDA. Luego lo habrán acompañado a su casa los otros.

TESMAN. Sí; es lo más probable. Brack también se marchó.

HEDDA. Y tú, ¿por dónde has estado rodando desde entonces?

TESMAN. Pues algunos más y yo fuimos a casa de uno, un tipo divertido, a tomar café. Pero después que descanse algo, y cuando calcule que el pobre Ejlert se ha despabilado un poco ya, tendré que ir a entregarle esto.

HEDDA. *(Tendiendo la mano para coger el paquete.)* No..., no lo devuelvas. Ahora mismo, quiero decir. Déjame leerlo primero.

TESMAN. No, querida Hedda; no me atrevo, ¡Dios me libre!

HEDDA. ¿No te atreves?

TESMAN. No. Ya puedes figurarte lo desesperado que se pondrá cuando al despertarse advierta que le falta el manuscrito, pues has de saber que no tiene ninguna copia; lo dijo él mismo.

HEDDA. *(Con una mirada escrutadora.)* ¿Y... una cosa así no puede rehacerse, escribirse de nuevo?

TESMAN. No; no creo que saliera bien jamás. Por la inspiración..., ya sabes.

HEDDA. Sí, positivamente. *(Con negligencia.)* Pero... ahora me acuerdo de que hay una carta para ti.

TESMAN. ¡Cómo!

HEDDA. *(Dándosela.)* La han traído esta mañana temprano.

TESMAN. De tía Julle, Hedda, ¡fíjate! ¿Qué podrá ser? *(Deja el manuscrito en el otro taburete, abre la carta, la lee de prisa y se levanta de un salto.)* ¡Oh, Hedda, dice que la pobre tía Rina está muriéndose!

HEDDA. Era de esperar.

TESMAN. Y que, si quiero verla aún una vez más, debo apurarme. Voy a la carrera.

HEDDA. *(Reprimiendo una sonrisa.)* ¿Vas a echar a correr?

TESMAN. ¡Oh, querida Hedda! Si te decidieras a venir también... ¿Sí?

HEDDA. *(Se levanta y dice con voz cansada:)* No, no me pidas eso. No quiero ver enfermedad ni muerte. Ahórrame todo lo que sea feo.

TESMAN. ¡Qué se le va a hacer! *(Dando vueltas por la escena.)* Mi sombrero..., mi abrigo... ¡Ah!, están en el vestíbulo. Espero que no llegaré demasiado tarde, Hedda, ¿eh?

HEDDA. ¡Corre, corre!

Aparece Berta en la puerta del vestíbulo.

BERTA. El asesor Brack está ahí fuera y pregunta si puede ser recibido.

TESMAN. ¿A estas horas? No; me es imposible recibirlo.

HEDDA. Pero yo sí puedo. *(A Berta)* Diga al asesor que pase. *(Berta sale. Hedda, con precipitación, a Tesman.)* ¡El paquete, Tesman! *(Coge el paquete.)*

TESMAN. Sí; dámelo.

HEDDA. No, no. Yo te lo guardaré mientras. *(Se dirige al escritorio y mete el paquete entre los libros. Tesman, de tanta prisa como tiene, no acierta a ponerse los guantes. El asesor Brack entra por la puerta del vestíbulo. Hedda lo saluda con la cabeza.)* Qué madrugador está usted.

BRACK. Sí, ¿verdad que sí? *(A Tesman.)* ¿Va usted a salir?

TESMAN. Es necesario, tengo que ir a casa de las tías. Fíjese, la enferma se está muriendo, ¡la pobre!

BRACK. ¡Ay, Dios! ¿Es posible? Pues no se entretenga usted por mí en un momento tan grave.

TESMAN. Sí, tengo que salir corriendo. ¡Adiós, adiós! *(Sale con premura por la puerta del vestíbulo.)*

HEDDA. *(Acercándose a Brack).* Al parecer, ha sido más que animada la reunión de anoche en su casa, asesor.

BRACK. Hasta tal punto, que no he podido desnudarme, Hedda.

HEDDA. ¿Usted tampoco?

BRACK. No; como usted misma puede ver. Pero ¿qué le ha contado Tesman sobre los acontecimientos de la noche?

HEDDA. ¡Oh! Cosas aburridas. Sólo que fueron a tomar café no sé dónde.

BRACK. Sí; de eso ya me he enterado. Creo que Lovborg no estaba en ese grupo.

HEDDA. No; lo llevaron a su casa antes.

BRACK. ¿También Tesman?

HEDDA. No; otros, dos o tres, según me ha dicho.

BRACK. *(Sonriendo.)* Jorge Tesman es, realmente, un alma crédula.

HEDDA. Sí; ¡bien lo sabe Dios! ¿Hay, entonces, gato encerrado?

BRACK. No diré que no.

HEDDA. Venga, querido asesor: sentémonos, y así me contará mejor lo que sea. *(Hedda se sienta a la izquierda de la mesa, y Brack cerca de ella.)* ¿Y qué?

BRACK. Verá. Yo tenía razones especiales para averiguar la trayectoria que siguieron mis invitados esta noche, o mejor dicho, algunos de ellos.

HEDDA. ¿Y entre ellos estaba Ejlert Lovborg?

BRACK. He de confesarle que... sí.

HEDDA. Me pone usted verdaderamente curiosa.

BRACK. ¿Sabe dónde pasaron el resto de la noche él y otros más, Hedda?

HEDDA. No. Si puede contarse, hágalo.

BRACK. Sí que puede contarse sin ningún inconveniente. El caso es que se presentaron en una reunión muy concurrida.

HEDDA. ¿Era de género animado?

BRACK. De lo más animado.

HEDDA. Cuénteme algo más, asesor.

BRACK. Lovborg había recibido invitación. Yo estaba al corriente de todo. Pero él negó su asistencia, porque se había regenerado, como usted sabe.

HEDDA. Sí; en casa de los Elvsted, lo sé. Pero acabó yendo, a pesar de todo.

BRACK. Ya lo ve usted, Hedda... para desventura, lo inspiró un demonio anoche...

HEDDA. Sí, por lo visto, estaba inspirado.

BRACK. Inspirado con exceso. En resumen, supongo que cambiaría de idea, pues nosotros los hombres no somos siempre, por desgracia, tan firmes de principios como debiéramos ser.

HEDDA. ¡Bah! Usted, seguramente, constituye una excepción, Brack. Pero Lovborg...

BRACK. Terminó ni más ni menos que desembarcando en los salones de la señorita Diana.

HEDDA. ¿La señorita Diana?

BRACK. La señorita Diana era quien daba la fiesta para un escogido círculo de amigos y admiradores.

HEDDA. ¿Es una pelirroja?

BRACK. Exacto.

HEDDA. ¿Una especie de... cantante?

BRACK. Quizás... Sí, eso también. Y además, una peligrosa cazadora de hombres, Hedda. Habrá usted oído hablar de ella, indudablemente. Lovborg fue uno de sus más ardientes protectores... en su época de prosperidad.

HEDDA. ¿Y cómo acabó todo eso?

BRACK. Poco amistosamente, por lo que se ve. La señorita Diana pasó del recibimiento más tierno al ataque más violento.

HEDDA. ¿Contra Lovborg?

BRACK. Sí. Él acusó, a ella o a sus amigas, de haberle robado. Insistía en que le habían desaparecido la cartera y otras cosas. En resumidas cuentas, debió de armar un escándalo mayúsculo.

HEDDA. ¿Y cuál fue el desenlace?

BRACK. Pues una pelea de gallos más que regular entre las señoras y los caballeros. Afortunadamente, intervino por fin la policía.

HEDDA. ¿Que intervino la policía?

BRACK. Sí. Y la broma costará cara a ese loco de Ejlert Lovborg.

HEDDA. ¡Cómo!

BRACK. Parece que le hizo una violenta resistencia a los agentes, pues abofeteó a uno de ellos y le rompió el uniforme. Así es que se lo llevaron detenido.

HEDDA. ¿Y por quién sabe usted todo eso?

BRACK. Por la misma policía.

HEDDA. *(Mirando al vacío.)* ¿Conque eso es lo que sucedió? Entonces, no se ha coronado de pámpanos...

BRACK. ¿De pámpanos, Hedda?

HEDDA. *(Cambiando de tono.)* Pero dígame, asesor, ¿por qué va usted siguiéndole los pasos y espiando a Ejlert Lovborg?

BRACK. En primer lugar, no puede serme del todo indiferente que en los interrogatorios salga a relucir que venía directo de mi casa.

HEDDA. ¿De modo que va a haber interrogatorios?

BRACK. Naturalmente. No se puede evitar. Pero entiendo que, como amigo de la casa, tengo la obligación de informar en detalle a Tesman y a usted de las hazañas nocturnas de Lovborg.

HEDDA. ¿Por qué, asesor?

BRACK. Porque tengo la sospecha de que Lovborg quiere servirse de ustedes como de una especie de pantalla.

HEDDA. ¿A quién se le ocurre una cosa así?

BRACK. ¡Dios mío!... No seamos ciegos, Hedda. Comprenda usted. Esa señora Elvsted no se marchará tan pronto de la ciudad.

HEDDA. Y si existe algo entre ellos dos..., no faltarán sitios donde puedan verse.

BRACK. En ningún hogar. Toda casa decente estará de hoy en adelante cerrada de nuevo para Ejlert Lovborg.

HEDDA. ¿Quiere usted decir que debe estarlo la mía igualmente?

BRACK. Sí; confieso que me sería más que penoso que ese señor tuviera acceso constante aquí. Si él, como un intruso, fuese a introducirse en...

HEDDA. En el triángulo...

BRACK. Justo. Eso significaría para mí tanto como quedarme sin hogar.

HEDDA. *(Mirándolo sonriente.)* ¿De modo que... único gallo en el corral?... Ese es el objetivo de usted.

BRACK. *(Afirmando lentamente con la cabeza y bajando la voz.)* Sí, ese es mi objetivo. Y por ese objetivo quiero luchar con todos los medios que tengo a mi alcance.

HEDDA. *(Mientras se desvanece su sonrisa.)* Usted es, verdaderamente, un hombre peligroso cuando se le mete una cosa en la cabeza...

BRACK. ¿Lo cree usted?...

HEDDA. Sí; empiezo a creerlo. Y estoy muy contenta... mientras no ejerza usted ningún poder sobre mí.

BRACK. *(Con una risa equívoca.)* Sí, sí, Hedda; puede que tenga usted razón en eso. ¡Quién sabe si en ese caso no sería yo capaz de imaginar cualquier artificio!

HEDDA. Escuche, asesor Brack. Eso casi parece una amenaza.

BRACK. *(Levantándose.)* ¡Oh, lejos de mi ánimo tal cosa! El triángulo, ¿comprende usted?, debe fortificarse y defenderse con buena voluntad.

HEDDA. Así opino yo, por mi parte.

BRACK. ¡Bueno!, ya he dicho lo que quería decir. Y ahora tengo que pensar en volver a casa. Adiós, Hedda. *(Se dirige hacia la puerta vidriera.)*

HEDDA. *(Se levanta.)* ¿Sale usted por el jardín?

BRACK. Sí; es más corto para mí.

HEDDA. Además, es a la vez un camino extraviado.

BRACK. Sí, por cierto. No me disgustan en absoluto los caminos extraviados. En algunas ocasiones pueden ser muy interesantes.

HEDDA. ¿Cuando se tira con bala, quiere usted decir?

BRACK. *(Hacia la puerta, riendo.)* Supongo que no se les tirará a los inofensivos gallos del corral.

HEDDA. *(También riendo.)* Sobre todo cuando no se tiene más que uno...

Risueños, se despiden con la cabeza. Él se aleja y ella cierra la puerta, quedándose un rato seria y mirando afuera. Luego se dirige hacia el foro y atisba entre las cortinas. Después va al escritorio, saca el paquete de Lovborg y se dispone a hojearlo. Se oye a Berta hablar muy alto en el vestíbulo. Hedda se vuelve y escucha. Guarda a toda prisa el paquete en el cajón del escritorio, cierra con llave, y la deja encima del mueble. Ejlert Lovborg, con el abrigo puesto y el sombrero en la mano, abre bruscamente la puerta del vestíbulo. Parece muy turbado y exasperado.

LOVBORG. *(De cara al vestíbulo.)* ¡Y yo le digo que tengo que pasar! ¡Vaya! *(Cierra la puerta, se vuelve, ve a Hedda, se domina al instante y saluda.)*

HEDDA. *(Al lado del escritorio.)* Vamos, señor Lovborg; viene usted algo tarde a buscar a Thea.

LOVBORG. O algo temprano para entrar en su casa. Le ruego que me disculpe.

HEDDA. ¿Cómo sabe usted que ella sigue aquí todavía?

LOVBORG. Donde se hospeda me han dicho que ha estado fuera toda la noche.

HEDDA. *(Acercándose a la mesa grande.)* ¿Ha notado usted algo en la gente cuando se lo dijeron?

LOVBORG. ¿Que si he notado algo?

HEDDA. Me refiero a si se ha figurado que pensaban mal del caso.

LOVBORG. *(Comprendiendo de pronto.)* ¡Ah, sí, es verdad! ¡La hundo conmigo! Por otra parte, no he notado nada. Tesman no se habrá levantado aún, ¿verdad?

HEDDA. No..., no creo.

LOVBORG. ¿A qué hora volvió?

HEDDA. Muy tarde.

LOVBORG. ¿Le contó algo?

HEDDA. Sí. Me dijo que habían estado muy contentos en casa del asesor Brack.

LOVBORG. ¿Nada más?

HEDDA. Creo que no. Por lo demás, yo tenía un sueño terrible.

La señora Elvsted aparece entre las cortinas, al foro.

SEÑORA ELVSTED. *(Corriendo hacia él.)* ¡Ah, Lovborg! ¡Por fin!

LOVBORG. Sí, por fin. Y demasiado tarde.

SEÑORA ELVSTED. *(Mirándolo, angustiada.)* ¿Para qué es demasiado tarde?

LOVBORG. Para todo es demasiado tarde en estos momentos. Yo no tengo salvación.

SEÑORA ELVSTED. ¡Oh, no, no! ¡No digas eso!

LOVBORG. Tú misma pensarás igual que yo cuando me hayas oído.

SEÑORA ELVSTED. ¡No quiero oír nada!

HEDDA. ¿Prefiere usted quizás hablar a solas con ella? Porque de ser así, me iré.

LOVBORG. No; quédese... usted también. Se lo ruego.

SEÑORA ELVSTED. Estoy diciendo que no quiero oír nada.

LOVBORG. No es de la aventura de esta noche de lo que voy a hablarles.

SEÑORA ELVSTED. ¿De qué, pues?

LOVBORG. Se trata de que nuestros caminos deben separarse ahora.

SEÑORA ELVSTED. ¿Separarse?

HEDDA. *(Involuntariamente.)* ¡Lo sabía!

LOVBORG. Porque no te necesito ya, Thea.

SEÑORA ELVSTED. ¿Y me lo dices así? ¡Que no me necesitas ya! Pero tendré que ayudarte ahora como antes. Seguiremos trabajando juntos, ¿no?

LOVBORG. No pienso trabajar más.

SEÑORA ELVSTED. *(Abatida.)* ¿En qué voy a emplear ahora mi vida?

LOVBORG. Procura vivirla como si nunca me hubieras conocido.

SEÑORA ELVSTED. Pero ¡eso me es imposible!

LOVBORG. Inténtalo, Thea. Debes volver a tu casa...

SEÑORA ELVSTED. *(Indignada.)* ¡Jamás! ¡Dónde tú estés, allí quiero estar yo! ¡No me dejo expulsar de esta manera! Quiero estar presente aquí, a tu lado, cuando se publique el libro.

HEDDA. *(A media voz, excitada.)* ¡Ah, el libro... sí!

LOVBORG. *(Mirándola.)* Nuestro libro, mío y de Thea, porque es de los dos.

SEÑORA ELVSTED. ¡Sí, siento que lo es! ¡Y por eso tengo derecho a estar a tu lado cuando se publique! Deseo presenciar tu triunfo, ver cómo te cubren de honores otra vez. ¡Qué alegría!... ¡Y quiero compartirla contigo!

LOVBORG. Thea... no se publicará nunca nuestro libro.

HEDDA. ¡Ah!

SEÑORA ELVSTED. ¿No se publicará?

LOVBORG. No podrá publicarse nunca.

SEÑORA ELVSTED. *(Con inquieta sospecha.)* Lovborg... ¿qué has hecho del manuscrito?

HEDDA. *(Mirándolo con curiosidad.)* Sí, el manuscrito...

SEÑORA ELVSTED. ¿Dónde está?

LOVBORG. ¡Oh, Thea... mejor será que no me lo preguntes!

SEÑORA ELVSTED. ¡Sí, sí! ¡Quiero saberlo! ¡Tengo derecho a saberlo enseguida!

LOVBORG. El manuscrito... Pues... Lo he roto en mil pedazos.

SEÑORA ELVSTED. *(Gritando.)* ¡Oh, no, no...!

HEDDA. *(Sin querer.)* Pero ¡eso no es verdad!

LOVBORG. *(Mirándola.)* ¿Que no es verdad... cree usted?

HEDDA. *(Recobrándose.)* ¡Qué voy a creer! Cuando usted lo dice... Pero me resulta tan disparatado...

LOVBORG. No obstante, es verdad.

SEÑORA ELVSTED. *(Retorciéndose las manos.)* ¡Oh, Dios mío... Dios mío...! Hedda, ¡ha destruido su propia obra!

LOVBORG. He destruido mi propia vida. ¿Por qué no iba a hacer lo mismo con la obra de mi vida...?

SEÑORA ELVSTED. ¿Conque es eso lo que has hecho esta noche?...

LOVBORG. Ya lo has oído. En mil pedazos. Y los he esparcido por el *fjord.*[1] Muy hacia afuera. Allí, por lo menos, hay agua salada y fresca... Déjalos flotar en ella; flotar al viento y en la corriente. Y dentro de un rato se hundirán, cada vez más abajo, como yo, Thea...

SEÑORA ELVSTED. ¿Sabes, Lovborg, que eso del libro...? Toda mi vida tendré la impresión de que has matado a un niño pequeño.

LOVBORG. No te falta razón. Es como si hubiera cometido un infanticidio.

SEÑORA ELVSTED. Pero ¿cómo pudiste...? ¡Yo misma participé en la gestación del niño!

HEDDA. *(Con voz apenas perceptible.)* ¡Ah!, el niño...

SEÑORA ELVSTED... *(Respirando trabajosamente.)* ¿Así, pues, todo ha acabado? Entonces me voy, Hedda.

HEDDA. Pero no partirás sin más ni más, supongo.

SEÑORA ELVSTED. ¡Oh!, ni yo sé lo que haré. Ahora todo está oscuro para mí. *(Sale por la puerta del vestíbulo.)*

HEDDA. *(Se queda esperando un poco.)* ¿No quiere usted acompañarla, señor Lovborg?

LOVBORG. ¿Yo? ¿Por las calles? ¿Para que la gente vea que va conmigo?

HEDDA. Ignoro lo demás que haya podido pasar esta noche; pero ¿es eso realmente irreparable?

LOVBORG. No se reducirá a lo de esta noche. Me doy perfecta cuenta de eso. Lo peor es que tampoco tengo ningún deseo de vivir esa clase de vida. No reco-

[1] Golfo estrecho y profundo. *(N. del E.)*

menzaré. Es el valor de vivir, es el espíritu combativo lo que ella ha aniquilado en mí.

HEDDA. *(Con ojos vagos.)* Esa linda muñequita ha ejercido un poder sobre un destino humano. *(Mirándolo.)* Pero, al fin y al cabo, ¿cómo ha podido usted ser tan cruel con ella?

LOVBORG. ¡Oh, no diga que he sido cruel!

HEDDA. ¡Desmoronar lo que ha llenado su espíritu durante largo tiempo! ¿Y no llama usted crueldad a eso?

LOVBORG. A usted puedo decirle la verdad, Hedda.

HEDDA. ¿La verdad?

LOVBORG. Primero, prométame, déme su palabra de honor de que todo lo que voy a confiarle quedará entre nosotros y no lo sabrá Thea jamás.

HEDDA. Tiene usted mi palabra.

LOVBORG. Pues bien: tengo que decirle que no era cierto lo que he contado.

HEDDA. ¿Lo del manuscrito?

LOVBORG. Sí. No lo he roto. Ni tampoco lo he tirado al *fjord*.

HEDDA. No, no... Pero ¿dónde está, entonces?

LOVBORG. De todas maneras, lo he perdido. ¡Irremediablemente, Hedda!

HEDDA. No lo comprendo.

LOVBORG. Thea ha dicho que lo que yo he hecho le producía el efecto de un infanticidio.

HEDDA. Sí, eso ha dicho.

LOVBORG. Pero matar a un niño... no es lo peor que puede hacer un padre con su hijo.

HEDDA. ¿Que no es lo peor?

LOVBORG. No. Quería evitar que Thea lo supiera.

HEDDA. ¿Y cuál es ese acto peor?

LOVBORG. Suponga, Hedda, que un hombre... al amanecer, después de una disipada noche de orgía, volviera a su casa, a la casa de la madre de su hijo, y le dijera: «Oye. He estado acá y allá, en tales y cuales lugares; he llevado conmigo a nuestro hijo a todos esos sitios, y se me ha perdido el niño. Perdido por completo. El diablo sabrá dónde y en qué manos habrá caído, quién se habrá apoderado de él.»

HEDDA. Sí... pero... en definitiva era sólo un libro.

LOVBORG. En ese libro estaba el alma pura de Thea.

HEDDA. Lo comprendo.

LOVBORG. Por consiguiente, comprenderá usted, además, que entre ella y yo no hay porvenir alguno en perspectiva.

HEDDA. ¿Y qué camino quiere usted tomar?

LOVBORG. Ninguno. Intentar solamente poner fin a todo. Cuanto antes, mejor.

HEDDA. *(Acercándosele un poco.)* Ejlert Lovborg... escuche. ¿No podría usted procurar que eso sucediera con belleza?

LOVBORG. ¿Con belleza? *(Sonríe.)* Con corona de pámpanos, como se lo imaginaba usted en otros tiempos...

HEDDA. ¡Oh, no! Pámpanos... no creo en ellos ya. Pero, aun así... con belleza. ¡Aunque sea una vez! Adiós; debe usted irse ya y no volver más por aquí.

LOVBORG. Adiós, señora. Y dé recuerdos a Tesman de mi parte. *(Va a salir.)*

HEDDA. ¡No, espere! Tiene que llevarse usted un recuerdo mío. *(Se acerca al escritorio y abre el cajón que contiene el estuche de las pistolas. Coge una de ellas y se vuelve hacia Lovborg.)*

LOVBORG. *(Se queda mirándola.)* ¿Eso? ¿Es ese el recuerdo?

HEDDA. *(Afirma lentamente con la cabeza.)* ¿La reconoce? Una vez le apunté con ella.

LOVBORG. Esa vez debió usted utilizarla.

HEDDA. Pues utilícela usted mismo ahora.

LOVBORG. *(Guardándose la pistola en un bolsillo.)* ¡Gracias!

HEDDA. Pero con belleza, Lovborg. ¡Prométamelo!

LOVBORG. ¡Adiós, Hedda Gabler! *(Sale por la puerta del vestíbulo.)*

Hedda permanece escuchando un rato en el umbral. Luego se dirige al escritorio, extrae el paquete con el manuscrito, mira un poco dentro de la envoltura, saca algunas hojas a medias y las lee por encima. Se dirige hacia la estufa y se sienta en un sillón cercano. Pone el paquete en su regazo. Poco después, abre la trampilla de la estufa, y enseguida, desenvuelve el paquete.

HEDDA. *(Arroja uno de los cuadernos al fuego y murmura:)* ¡Estoy quemando a tu niño, Thea... la de los cabellos rizados!... *(Arroja varios cuadernos más a la estufa.)* Tu niño y el de Ejlert Lovborg. *(Tira al fuego el resto.)* ¡Ya... ya arde el niño!...

ACTO CUARTO

La misma decoración de actos anteriores. Es de noche. El salón está a oscuras. La habitación del fondo se halla iluminada por la lámpara del techo. Las cortinas de la puerta vidriera están corridas.

Hedda, vestida de negro, vaga de un lado a otro en la penumbra. Pasa al salón posterior y se dirige hacia la izquierda. Se oyen unos acordes en el piano. Vuelve a aparecer y entra en escena nuevamente. Berta llega por el lado derecho de la habitación del fondo, la cruza y coloca una lámpara encendida encima de la mesa situada delante del sofá esquinado. Tiene los ojos enrojecidos por el llanto y lleva una cinta negra en la cofia. Con cautela, sale en silencio por la derecha. Hedda se acerca a la puerta vidriera, abre las cortinas y se queda mirando al exterior en tinieblas. Poco después viene por la puerta del vestíbulo la señorita Tesman, vestida de luto, con sombrero y velo. Hedda sale a su encuentro y le tiende la mano.

SEÑORITA TESMAN. Sí, Hedda; aquí vengo, en pleno duelo. Ahora mi pobre hermana ha acabado su lucha.

HEDDA. Ya lo sé, como ve. Tesman me ha enviado una tarjeta.

SEÑORITA TESMAN. Sí; me lo había prometido. No obstante, consideré que me correspondía dar a Hedda personalmente la noticia... aquí, en esta casa llena de vida.

HEDDA. Muy amable por su parte.

SEÑORITA TESMAN. ¡Ay! Rina no tenía que haberse ido ahora. El hogar de Hedda no debiera estar de luto en estos momentos.

HEDDA. *(Derivando la conversación.)* ¿Ha muerto dulcemente, señorita Tesman?

SEÑORITA TESMAN. ¡Sí, sí! El desenlace fue muy tranquilo. Además, tuvo la indecible dicha de ver a Jorge por última vez. Y de poder decirle adiós. ¿Aún no ha vuelto él a casa?

HEDDA. No. Me ha escrito que no lo esperara tan temprano. Pero siéntese usted.

SEÑORITA TESMAN. No, gracias, querida y bondadosa Hedda. Bien lo haría; pero tengo muy poco tiempo. Tengo que amortajar y ataviar lo mejor posible a mi hermana para que baje realmente hermosa a la tumba.

HEDDA. ¿No puedo ayudar en algo?

SEÑORITA TESMAN. ¡Ni hable de eso! Hedda Tesman no debe poner sus manos en tales cosas, ni fijar tampoco sus pensamientos en ellas. No; en estos instantes...

HEDDA. ¡Oh!, los pensamientos no se dejan dominar sin más ni más...

SEÑORITA TESMAN. *(Continuando.)* ¡Sí, Dios mío, así es este mundo! En casa vamos a coser el sudario para Rina. Y me imagino que aquí también tendrán que coser pronto. Pero será otra clase de costura, a Dios gracias.

Jorge Tesman entra por la puerta del vestíbulo.

HEDDA. ¡Vaya!, menos mal que vuelves ya.

TESMAN. ¿Tú aquí, tía Julle? ¿Con Hedda? ¡Fíjate!

SEÑORITA TESMAN. Estaba a punto de irme, hijo mío. ¿Qué, has hecho todo lo que me habías prometido?

TESMAN. No, con franqueza; temo que me habré olvidado de la mitad de las cosas. Mañana iré volando a tu casa. Porque hoy tengo la cabeza muy trastornada; no puedo concentrarme.

SEÑORITA TESMAN. Pero querido Jorge, no debes tomarlo así.

TESMAN. ¿No? ¿Cómo crees, entonces, que debo tomarlo?

SEÑORITA TESMAN. Tienes que ser feliz en medio del dolor, y estar satisfecho de lo que ha ocurrido, como lo estoy yo.

TESMAN. ¡Oh, sí, sí! Tú piensas en tía Rina.

HEDDA. De hoy en adelante se encontrará usted muy sola, señorita Tesman.

SEÑORITA TESMAN. Los primeros días, sí, aunque espero que no durará mucho. Porque creo que el cuartico de Rina no quedará vacío.

TESMAN. ¡Ah! ¿Pero a quién vas a meter allí?

SEÑORITA TESMAN. ¡Bah!, siempre habrá, por desgracia, alguna pobre enferma a quien cuidar.

HEDDA. ¿Es posible que quiera usted cargar con tamaña cruz otra vez?

SEÑORITA TESMAN. ¿Cruz? Dios la perdone, hija... Eso no ha sido nunca una cruz para mí.

HEDDA. Pero si ahora llega una persona extraña...

SEÑORITA TESMAN. ¡Oh! De la gente enferma se hace una amiga enseguida. ¡Y yo necesito tanto tener por quién vivir!... ¡En fin, todo sea por Dios! Aquí, en esta casa, habrá quizás pronto algo que hacer para una tía vieja...

HEDDA. ¡Oh! No hable usted de nosotros.

TESMAN. Sí; fíjate lo bien que podríamos estar los tres, si...

HEDDA. Si... ¿qué?

TESMAN. *(Inquieto.)* No, nada. Ya se arreglará. Eso esperamos, ¿eh?

SEÑORITA TESMAN. Sí, sí. Ustedes dos tendrán que hablar supongo. *(Sonriendo.)* Y Hedda, a lo mejor, va a contarte algo, Jorge. Adiós; necesito volver a casa, junto a Rina, quien a estas horas está a la vez conmigo y con el difunto Joaquín. ¡Qué extraño! *(Sale por la puerta del vestíbulo.)*

TESMAN. *(Acompañándola hasta el umbral.)* Sí. ¡Quién iba a pensarlo!, ¿eh?

HEDDA. *(A Tesman con una mirada escudriñadora.)* Casi creo que tienes tú más pena por esa muerte que ella.

TESMAN. ¡Oh! No es sólo por el fallecimiento, sino también por Ejlert, que me intranquiliza mucho.

HEDDA. *(Precipitadamente.)* ¿Hay algo nuevo sobre él?

TESMAN. Esta tarde he hecho una escapada para advertirle que el manuscrito se hallaba sano y salvo.

HEDDA. ¿Y qué? ¿No has dado con él?

TESMAN. No; no estaba en su casa. Pero después me encontré con la señora Elvsted, y me ha dicho que Ejlert había estado aquí esta mañana.

HEDDA. Sí, a raíz de salir tú.

TESMAN. Y por lo visto, ha contado que había roto el manuscrito, ¿eh?

HEDDA. Eso afirmaba.

TESMAN. Pero, señor, tiene que estar completamente perturbado. Y tú, claro, tampoco te atreverías a devolvérselo, ¿verdad?

HEDDA. No, no se lo he entregado.

TESMAN. Pero le dirías que lo teníamos nosotros, por lo menos.

HEDDA. No. *(Vivamente.)* ¿Acaso se lo has dicho tú a la señora Elvsted?

TESMAN. No, no he querido. Pero a él se lo debías haber dicho tú. Fíjate, si en su desesperación hace una barbaridad... ¡Hay que darle el manuscrito, Hedda! Ahora mismo iré corriendo a dárselo. ¿Dónde lo tienes?

HEDDA. *(Fría e inmóvil, apoyándose en el sillón.)* No lo tengo ya.

TESMAN. ¿No lo tienes ya? Pero, ¡en nombre del cielo!, ¿qué quieres decir con eso?

HEDDA. Lo he quemado... completo.

TESMAN. *(Se levanta de un salto, con espanto.)* ¿Quemado? ¿Has quemado el manuscrito de Ejlert?

HEDDA. No grites tanto, que te puede oír la criada.

TESMAN. ¿Quemado? ¡Dios de misericordia!... No, no, no: es imposible...

HEDDA. Sin embargo, así es.

TESMAN. Pero... ¿te das cuenta de tu acto, Hedda? Eso es retener ilícitamente un objeto extraviado. ¡Fíjate! Sí, pregúntale al asesor Brack, y ya lo verás.

HEDDA. Seguramente. Lo más oportuno será que no hables de eso al asesor ni a nadie.

TESMAN. Pero... ¿cómo has podido cometer una canallada tan inaudita? ¿Cómo ha podido ocurrírsete? ¿Cómo te ha venido esa idea a la mente? Respóndeme, ¿eh?

HEDDA. *(Reprimiendo una sonrisa casi imperceptible.)* Lo he hecho por ti, Jorge.

TESMAN. ¿Por mí?

HEDDA. Cuando volviste esta mañana y me contaste que él te lo había leído...

TESMAN. Sí, sí; ¿qué?

HEDDA. Confesaste que le envidiabas esa obra.

TESMAN. ¡Santo Dios! No era para tomarlo tan al pie de la letra.

HEDDA. De todos modos, yo no podía soportar que otro te hiciera sombra.

TESMAN. *(Con una exclamación, mezcla de duda y alegría.)* ¡Hedda!... ¿es verdad lo que dices?... Pero... pero... nunca he notado tu amor hasta tal punto. ¡Ya ves!

HEDDA. Bueno; pues mejor será que sepas que en estos momentos... *(Interrumpiéndose con violencia.)* ¡No, no! Puedes preguntárselo a tía Julle. Ella te informará.

TESMAN. ¡Oh! Casi creo que te comprendo, Hedda. *(Juntando las manos.)* ¡Dios mío! Oye: ¿será posible eso, eh?

HEDDA. No grites tanto, que va a oírte la criada.

TESMAN. *(Riendo con beatitud.)* ¡La criada! ¡Qué gracia tienes, Hedda! La criada... es Berta. Yo mismo se lo diré.

HEDDA. *(Retorciéndose las manos, como desesperada.)* ¡Oh, no puedo más... no puedo más con todo esto!

TESMAN ¿Por qué, Hedda, eh?

HEDDA. *(Con frialdad, dominándose.)* Con todo esto... tan ridículo, Jorge.

TESMAN. ¿Ridículo? Lo indudable es que soy muy feliz. Pero, bueno, quizá sea mejor que no le diga nada a Berta.

HEDDA. Sí... ¿Por qué no hacerlo?

TESMAN. No, todavía no. Pero tía Julle sí que tiene que saberlo. Y también que ya empiezas a llamarme Jorge. ¡Fíjate! ¡Qué contenta se va a poner tía Julle!

HEDDA. ¿Cuando se entere de que he quemado el manuscrito de Lovborg... por ti?

TESMAN. No, eso no. De lo del manuscrito no debe enterarse nadie, naturalmente. Pero eso de que lo hayas quemado por mí, Hedda... eso sí que debe saberlo tía Julle. Por lo demás, me gustaría saber si esas cosas son frecuentes en las casadas jóvenes, Hedda, ¿eh?

HEDDA. Opino que también debes consultárselo a tía Julle.

TESMAN. Sí; voy a hacerlo en cuanto tenga ocasión. *(De nuevo parece intranquilo y preocupado.)* Pero... pero... ¿y el manuscrito...? ¡Dios de bondad, es terrible pensarlo, por el pobre Ejlert!

La señora Elvsted, vestida como en la primera visita, entra por la puerta del vestíbulo, con sombrero y abrigo.

SEÑORA ELVSTED. *(Saluda rápidamente y dice, emocionada:)* ¡Oh, querida Hedda, no tomes a mal que venga otra vez!

HEDDA. ¿Qué te ha sucedido, Thea?

TESMAN. ¿Se trata aún de Ejlert Lovborg?

SEÑORA ELVSTED. Sí. Tengo un miedo terrible de que le haya ocurrido una desgracia.

HEDDA. *(Cogiéndola de un brazo.)* ¡Ah!... ¿Tú crees?

TESMAN. Pero, ¡Dios mío, qué idea le ha dado, señora Elvsted!

SEÑORA ELVSTED. Es porque oí que estaban hablando de él en el hotel... a tiempo que yo entraba. Y corren hoy por la ciudad los rumores más increíbles sobre su persona.

TESMAN. Sí; yo los he oído también, y puedo atestiguar que fue directamente a su casa para acostarse. ¡Ya ves!

HEDDA. Bien... ¿Y qué decían en el hotel?

SEÑORA ELVSTED. ¡Oh! No he podido enterarme de nada. Tal vez no supieran detalles, o... Se han callado en cuanto me han visto, y no me he atrevido a preguntar.

TESMAN. *(Paseando, intranquilo.)* Tengamos esperanza... tengamos esperanza. ¡Habrá entendido usted mal, señora Elvsted!

SEÑORA ELVSTED. No, no. Estoy segura de que hablaban de él. Y además, he oído que decían algo de hospital, o...

TESMAN. ¿De hospital?

HEDDA. ¡No... no es posible!

SEÑORA ELVSTED. ¡Ay! Me embargaba un susto mortal por él, y entonces he ido a su alojamiento para indagar.

HEDDA. ¿Te has atrevido a eso, Thea?

SEÑORA ELVSTED. Sí. ¿Qué otra cosa iba a hacer? Se me antojaba que no podía seguir viviendo con esa incertidumbre.

TESMAN. Pero tampoco lo encontraría usted, ¿eh?

SEÑORA ELVSTED. No: allí no sabían nada sobre él. No, me han dicho que no había estado en la casa desde ayer por la tarde.

TESMAN. ¿Desde ayer? ¿Cómo dirían eso?

SEÑORA ELVSTED. ¡Oh! No me cabe duda de que le ha pasado algo malo... no puede ser otra cosa.

TESMAN. Oye, Hedda: ¿y si yo fuera a enterarme por ahí, en diferentes lugares...?

HEDDA. No, no... no te inmiscuyas en eso.

El asesor Brack, con el sombrero en la mano, entra por la puerta del vestíbulo, que Berta abre y vuelve a cerrar tras él. Su aspecto es serio. Saluda en silencio.

TESMAN. ¡Ah!, ¿está usted aquí, querido asesor, eh?

BRACK. Era necesario verlo esta noche.

TESMAN. Leo en su cara que ha recibido usted la noticia de tía Julle.

BRACK. Sí, he recibido esa noticia, también.

TESMAN. ¡Qué pena!, ¿eh?

BRACK. Todo es relativo, querido Tesman.

TESMAN. (*Mirándolo, indeciso.*) ¿Ha pasado algo más quizás?

BRACK. Sí.

HEDDA. (*Intrigada.*) ¿Algo triste, asesor?

BRACK. También relativamente, señora.

SEÑORA ELVSTED. *(En un arranque involuntario.)* ¡Oh! Se trata de Ejlert Lovborg.

BRACK. *(Mirándola un instante.)* ¿Cómo se le ocurre, señora, pensar eso? ¿Sabe usted algo tal vez?

SEÑORA ELVSTED. *(Aturdida.)* No,. no, en absoluto. Pero...

TESMAN. ¡Por el amor de Dios, hable ya!

BRACK. *(Encogiéndose de hombros.)* Pues bien: ese infeliz... Ejlert Lovborg ha sido llevado al hospital. Debe de estar agonizando.

SEÑORA ELVSTED. *(En un grito.)* ¡Ay, Dios... ay, Dios!

TESMAN. ¡En el hospital! ¡Y agonizando!

HEDDA. *(Involuntariamente.)* ¡Ya!

SEÑORA ELVSTED. *(Llorosa.)* ¡Y nos separamos sin reconciliarnos, Hedda!

HEDDA. *(Por lo bajo.)* Pero, Thea... ¡vamos, mujer!

SEÑORA ELVSTED. *(Sin hacerle caso.)* ¡Tengo que ir a verlo! ¡Tengo que verlo vivo aún!

BRACK. No lo conseguirá usted, señora. No permiten el acceso a nadie.

SEÑORA ELVSTED. Pero dígame qué le ha sucedido. ¿Qué ha pasado?

TESMAN. Porque espero que él mismo no habrá... ¿eh?

HEDDA. Sí, estoy segura de que sí.

TESMAN. ¡Hedda! ¿Cómo puedes...?

BRACK. *(Que no pierde de vista a Hedda.)* Desgraciadamente, lo ha adivinado usted, señora Tesman.

SEÑORA ELVSTED. ¡Ah! Es tremendo.

TESMAN. ¿Conque él mismo?... ¡Fíjate!

HEDDA. ¿De un pistoletazo?

BRACK. Ha vuelto usted a adivinarlo, señora.

SEÑORA ELVSTED. *(Intentando dominarse.)* ¿Cuándo fue eso, señor asesor?

BRACK. Esta tarde, de tres a cuatro.

TESMAN. Pero, ¡santo Dios!... ¿Dónde se ha...?

BRACK. *(Algo confuso.)* ¿Que dónde? Pues... supongo que sería en su casa.

SEÑORA ELVSTED. No; en su casa no pudo ser. Yo estuve allí entre seis y siete.

BRACK. Entonces habrá sido en otra parte. No lo sé con exactitud. Únicamente sé que lo han encontrado... Se había disparado un tiro... en el pecho.

SEÑORA ELVSTED. ¡Qué horror! ¡Quién se iba a imaginar que acabaría así!

HEDDA. *(A Brack.)* ¿En el pecho?

BRACK. Sí, ya se lo he dicho.

HEDDA. ¿De modo que en la sien no?

BRACK. No; en el pecho, señora Tesman.

HEDDA. ¡Bah!... el pecho está bastante bien, en resumen.

BRACK. ¿Cómo, señora?

HEDDA. No, nada... nada.

TESMAN. ¿Y dice usted que la herida es mortal, eh?

BRACK. La herida es mortal con seguridad. Probablemente habrá expirado a estas horas.

SEÑORA ELVSTED. ¡Sí, sí! ¡Tengo ese presentimiento! ¡Ha muerto ya! ¡Muerto! ¡Oh, Hedda!

TESMAN. Pero, vamos a ver, ¿dónde pudo usted enterarse de todo eso?

BRACK. *(En tono seco.)* Por un agente de policía. Tenía que hablar con él.

HEDDA. Al final no deja de ser un gesto, por una vez...

TESMAN. *(Aterrorizado.)* ¡Dios del cielo! ¿Qué dices, Hedda?...

HEDDA. Digo que hay cierta belleza en eso.

BRACK. ¡Ejem!... Señora Tesman...

TESMAN. ¿Belleza? ¡Qué horror!

SEÑORA ELVSTED. ¡Oh, Hedda! ¿Cómo puedes hablar de belleza en semejante trance?

HEDDA. Ejlert Lovborg ha saldado su cuenta consigo mismo. Ha tenido valor para hacer... lo que debía hacer.

SEÑORA ELVSTED. ¡No, no creo que haya pasado así! ¡Lo que ha hecho, lo ha hecho en un rapto de delirio!

TESMAN. ¡Lo ha hecho en un rapto de desesperación!

HEDDA. No, eso no. Estoy bien segura.

SEÑORA ELVSTED. ¡Sí, en un rapto de delirio! ¡Lo mismo que cuando rompió nuestro libro!

BRACK. *(Asombrado.)* ¿El libro? ¿Quiere usted decir el manuscrito? ¿Lo ha roto?

SEÑORA ELVSTED. Sí, anoche.

TESMAN. *(En voz baja.)* ¡Oh, Hedda! ¡Nunca podremos vernos libres de esto!

BRACK. ¡Hum!... Es muy extraño.

TESMAN. *(Recorriendo el salón.)* ¡Pensar que Ejlert dejaría de esa manera el mundo!... Y sin dejar tras sí lo que habría inmortalizado su nombre.

SEÑORA ELVSTED. ¡Oh, si se pudiera reconstruir el texto!

TESMAN. Sí, sin duda; si se pudiera... No sé lo que daría...

SEÑORA ELVSTED. Quizá pueda hacerse, señor Tesman.

TESMAN. ¿Qué quiere usted decir?

SEÑORA ELVSTED. *(Registrando su bolsillo.)* Mire; guardo las notas sueltas que él utilizaba para dictarme.

HEDDA. *(Avanzando un paso hacia ella.)* ¡Ah!...

TESMAN. ¿Y las ha conservado usted, señora Elvsted, eh?

SEÑORA ELVSTED. Sí, aquí las tengo. Las traje conmigo cuando me marché de casa, y después se han quedado en el bolsillo...

TESMAN. ¡Oh! Déjeme verlas.

SEÑORA ELVSTED. *(Le tiende un puñado de papeles.)* Pero está todo tan confuso, tan revuelto...

TESMAN. ¡Fíjese! Si pudiéramos acertar a ordenarlas... Acaso, si nos ponemos los dos, ayudándonos mutuamente...

SEÑORA ELVSTED. ¡Oh, sí! ¡Vamos a intentarlo, al menos...!

TESMAN. ¡Lo lograremos! ¡Tenemos que lograrlo! Consagraré mi vida a eso.

HEDDA. ¿Tú, Jorge? ¿Tu vida...?

TESMAN. Sí, o mejor dicho, todo el tiempo de que pueda disponer. Mientras, abandonaré mis colecciones. Hedda..., ¿me comprendes, eh? Es una cosa que debo a la memoria de Ejlert.

HEDDA. Tal vez.

TESMAN. Querida señora Elvsted, conviene trabajar con todo ahínco. ¡Dios mío! No hay que deplorar en balde la desgracia, ¿eh? Procuremos tranquilizar nuestro espíritu lo bastante para...

SEÑORA ELVSTED. ¡Sí, sí, señor Tesman! Lo intentaré lo mejor que pueda.

TESMAN. Bien; pues venga conmigo. Vamos a mirar las notas enseguida. ¿Dónde nos sentaremos? ¿Aquí? No, ahí en el salón pequeño. Perdone, señor asesor. Vamos, señora Elvsted.

SEÑORA ELVSTED. ¡Buen Dios! ¡Si se pudiera...!

Tesman y la Señora Elvsted pasan a la habitación del fondo. Ella se quita el sombrero y el abrigo. Ambos se sientan a la mesa, bajo la lámpara, y se sumergen en una meticulosa revisión de los papeles. Hedda se acerca a la estufa y se sienta en el sillón. Poco después se le reúne Brack.

HEDDA. *(A media voz.)* ¡Oh, asesor, qué alivio ese rasgo de Ejlert Lovborg!

BRACK. ¿Alivio, Hedda? Sí, para él, en efecto, ha sido un alivio.

HEDDA. Quiero decir para mí. Es un alivio saber que, a pesar de todo, puede producirse un gesto de libre valor en el mundo, algo sobre lo que caiga un resplandor de belleza instintiva.

BRACK. *(Sonriendo.)* ¡Ejem!... Querida Hedda...

HEDDA. ¡Oh! Ya sé lo que quiere decir. Porque usted también es una especie de especialista, igual que... ya me entiende.

BRACK. *(Mirándola con fijeza.)* Ejlert Lovborg ha significado para usted más de lo que quiere confesarse a sí misma. ¿O es que me equivoco?

HEDDA. No contesto semejantes preguntas. Únicamente sé que Ejlert Lovborg ha tenido el valor de vivir la vida a su gusto. Y luego... ¡ese gesto! He aquí algo grande, con reflejos de belleza. Tuvo fuerza y voluntad para despedirse del festín de la vida... tan pronto.

BRACK. Lo lamento, Hedda... pero me veo obligado a sacarla de una hermosa quimera.

HEDDA. ¿Una quimera?

BRACK. La que, por otra parte, se habría disipado, al fin y al cabo.

HEDDA. ¿Y cuál es?

HEDDA. ¿Que no se ha matado voluntariamente?

BRACK. No. El caso de Ejlert Lovborg no es exactamente como lo he contado antes.

HEDDA. *(En tensión.)* ¿Ha callado usted algo? ¿Qué?

BRACK. Por consideración a la pobre señora Elvsted, he deformado un poco ciertos aspectos de mi relato.

HEDDA. ¿Qué aspectos?

BRACK. En principio, ha muerto ya.

HEDDA. ¿En el hospital?

BRACK. Sí, y sin haber recobrado el conocimiento.

HEDDA. ¿Qué más ha callado usted?

BRACK. Que el hecho no tuvo lugar en su casa.

HEDDA. ¡Bah! Eso carece de importancia.

BRACK. Según y cómo. Porque tengo que decirle que... Ejlert Lovborg fue encontrado muerto en el gabinete de la señorita Diana.

HEDDA. *(Quiere levantarse, pero vuelve a caer en el sillón.)* ¡Es imposible, asesor Brack! No pudo estar de nuevo allí hoy.

BRACK. Allí estaba esta tarde. Fue a exigir una cosa que según dijo le habían quitado. Habló, trémulo, de un niño que había perdido...

HEDDA. ¡Ah! ¿Conque por eso...?

BRACK. Me imaginé que quizás se tratara de su manuscrito; pero lo ha destruido él mismo, conforme he oído. Por consiguiente, sería la cartera.

HEDDA. Puede ser... ¿Y allí... se le encontró allí?

BRACK. Sí, allí. Con una pistola descargada en el bolsillo. El tiro había sido mortal.

HEDDA. En el pecho... sí.

BRACK. No... en el bajo vientre.

HEDDA. *(Mirándolo, con una expresión de repugnancia.)* ¡Sólo eso faltaba! ¡Oh, lo ridículo y lo indigno cubren como una maldición todo lo que toco!

BRACK. Hay algo más, Hedda; algo que puede calificarse de infame.

HEDDA. ¿Y qué es?

BRACK. La pistola que llevaba encima.

HEDDA. *(Sin aliento.)* Sí, una pistola.

BRACK. Parece que la robó.

HEDDA. *(Levantándose de un salto.)* ¡Robarla! ¡No es verdad! ¡Eso no lo ha hecho él!

BRACK. No hay otra versión posible. ¡Tuvo que robarla! ¡Chist!

Tesman y la Señora Elvsted se han levantado de la mesa, en el otro salón, y vienen hacia ellos.

TESMAN. *(Con las manos llenas de papeles.)* Oye, Hedda: me es casi imposible leer ahí dentro, debajo de esa lámpara. ¡Fíjate!

HEDDA. Sí, ya me fijo.

TESMAN. ¿Podemos sentarnos un momento en tu escritorio, eh?

HEDDA. Sí, si quieres. *(Con viveza.)* ¡No, espera! Déjame desocuparlo antes un poco.

TESMAN. ¡Oh! No hace falta, Hedda. Hay bastante sitio.

HEDDA. No, no, déjame desocuparlo. Voy a poner esto encima del piano, mientras. ¡Ya está! *(Saca de la hilera de libros un objeto cubierto con papeles de música, lo cubre con más papeles aún y lo lleva a la pieza del fondo, hacia la izquierda. Tesman deja las notas sobre el escritorio, y lleva allí la lámpara de la mesa del rincón. Él y la señora Elvsted se sientan y reanudan su trabajo. Hedda vuelve y se pone detrás de la silla de la Señora Elvsted, alborotándole suavemente el pelo.)* Oye, querida Thea... ¿adelanta el monumento conmemorativo de Ejlert Lovborg?

SEÑORA ELVSTED. *(Mirándola, desalentada.)* ¡Ay, Dios! Nos será muy difícil desenredar el hilo de esta madeja.

TESMAN. Es necesario que adelante. No hay más remedio. Esto de ordenar papeles ajenos... me cuadra muy bien.

Hedda se aproxima a la estufa y se sienta en uno de los taburetes. Brack se sitúa junto a ella, apoyado en el sillón.

HEDDA. *(Cuchicheando.)* ¿Qué decía usted de la pistola?...

BRACK. *(En voz baja.)* Que ha tenido que robarla.

HEDDA. ¿Por qué robarla precisamente?

BRACK. Porque tiene que ser imposible cualquier otra explicación, Hedda.

HEDDA. ¿De veras?

BRACK. *(Se queda mirándola un rato.)* Por supuesto, Ejlert Lovborg ha estado aquí esta mañana, ¿verdad?

HEDDA. Sí.

BRACK. ¿Estaba usted sola con él?

HEDDA. Sí, un instante.

BRACK. ¿No ha dejado usted la habitación mientras él estaba aquí?

HEDDA. No.

BRACK. Reflexione. ¿No ha salido ni siquiera un momento?

HEDDA. Sí, quizás un momento... al vestíbulo.

BRACK. ¿Y dónde tenía usted, mientras, su estuche de pistolas?

HEDDA. Lo tenía en...

BRACK. Concrete, Hedda.

HEDDA. El estuche estaba ahí, encima del escritorio.

BRACK. ¿Ha mirado usted después si continúan en el estuche las dos pistolas?

HEDDA. No.

BRACK. Ni es necesario tampoco. Yo vi la pistola encontrada en el bolsillo de Lovborg y la reconocí al instante por haberla visto ayer. Y también, en otras ocasiones.

HEDDA. ¿La tiene usted, tal vez?

BRACK. No; la tiene la policía.

HEDDA. ¿Qué quiere hacer la policía con esa pistola?

BRACK. Hallar la pista de su dueño.

HEDDA. ¿Cree usted que consiga descubrirla?

BRACK. *(Inclinándose sobre ella, susurra.)* No, Hedda Gabler... mientras yo me calle.

HEDDA. *(Mirándolo, medrosa.)* Y si usted no se calla... ¿qué sucederá?

BRACK. *(Encogiéndose de hombros.)* Siempre queda el recurso de alegar que ha sido robada.

HEDDA. *(Con firmeza.)* Antes, morir.

BRACK. *(Sonriente.)* Esas cosas se dicen, pero no se hacen.

HEDDA. *(Sin responder.)* ¿Y si la pistola no ha sido robada y se descubre al dueño? ¿Qué ocurriría entonces?

BRACK. Pues, Hedda... entonces sobrevendrá el escándalo.

HEDDA. ¿El escándalo?

BRACK. El escándalo, sí... eso a lo que tiene usted un miedo atroz. Por supuesto, deberán comparecer ante un tribunal usted y la señorita Diana. Ella tendrá que explicar el suceso, sea que se trate de un accidente o de un crimen. ¿Quiso él sacar la pistola del bolsillo para amenazarla, y se disparó? ¿O se la ha arrancado ella de las manos, lo ha matado de un tiro y luego volvió a meterla en el bolsillo de Lovborg? Sería muy capaz, porque esa Diana es una muchacha de agallas.

HEDDA. Pero toda esa historia repulsiva no tiene nada que ver conmigo.

BRACK. No, aunque necesitará usted responder a la siguiente pregunta: «¿Por qué le dio la pistola a Ejlert Lovborg?» ¿Y qué conclusiones se sacarán del hecho de que usted se la haya dado?

HEDDA. *(Bajando la cabeza.)* Es cierto. No había pensado en eso.

BRACK. Pero no existe ningún peligro, mientras yo me calle.

HEDDA. *(Levanta la cabeza y lo mira.)* ¿De manera que estoy en su poder, asesor? Me tiene usted a merced suya en lo sucesivo.

BRACK. *(Con un murmullo.)* Querida Hedda... créame... no abusaré de la situación.

HEDDA. En su poder, de todas maneras. Dependiendo de su voluntad. Esclava, ¡sí, esclava! *(Se levanta bruscamente.)* No... no puedo soportar ese pensamiento. ¡Jamás!

BRACK. *(Mirándola, con cierta ironía.)* Generalmente se resigna uno a lo inevitable.

HEDDA. *(Devolviéndole la mirada.)* Sí, quizás. *(Se dirige hacia el escritorio, reprime una sonrisa involuntaria, e imitando el modo de hablar de Tesman, pregunta:)* ¿Qué, lo consigues, Jorge, eh?

TESMAN. ¡Sabe Dios, Hedda! En todo caso hay trabajo para muchos meses.

HEDDA. *(Como antes.)* ¡Fíjate! *(Pasando ligeramente la mano por el pelo de la Señora Elvsted.)* ¿No te parece extraño, Thea? Ahora estás sentada aquí, con Tesman... igual que antes estuviste con Ejlert Lovborg.

SEÑORA ELVSTED. ¡Dios mío, si yo pudiera inspirar a tu marido también...!

HEDDA. ¡Oh! Eso vendrá con el tiempo.

TESMAN. Sí... Oye una cosa, Hedda. Me parece ni más ni menos como si empezara a sentir algo así... Pero vuelve a sentarte con el asesor.

HEDDA. ¿No les sirvo de nada aquí a ustedes dos?

TESMAN. No, ni pensarlo. *(Torciendo la cabeza.)* En adelante será usted muy amable si hace compañía a Hedda, querido asesor.

BRACK. *(Con una ojeada a Hedda.)* Será el mayor placer para mí.

HEDDA. Gracias; pero esta noche estoy cansada. Voy a descansar un poco ahí dentro, en el sofá.

TESMAN. Sí, hazlo, querida, ¿eh?

Hedda se va al salón del fondo y corre las cortinas. Pausa corta. De repente se oye tocar en el piano un bailable furioso.

SEÑORA ELVSTED. *(Levantándose sobresaltada.)* ¡Ay! ¿Qué es eso?

TESMAN. *(Se precipita hacia las cortinas.)* Pero, querida Hedda, ¡no toques piezas de baile esta noche! ¡Piensa en tía Rina! ¡Y también en el pobre Ejlert!

HEDDA. *(Asomando la cabeza entre las cortinas.)* Y en tía Julle. Y en todos ustedes... Desde ahora estaré callada. *(Vuelve a correr el cortinaje.)*

TESMAN. *(Cerca del escritorio.)* Según parece, no le agrada vernos entregados a esta triste tarea. ¿Sabe usted lo que vamos a hacer, señora Elvsted? Usted se instalará en casa de tía Julle, y yo iré todas las noches. Así podremos trabajar allí, ¿eh?

SEÑORA ELVSTED. Sí; quizás sea preferible.

HEDDA. *(Desde el otro salón.)* Oigo muy bien lo que estás diciendo, Tesman. Pero, entonces... ¿qué haré yo aquí por las noches?

TESMAN. *(Hojeando los papeles.)* ¡Oh! El asesor Brack, de seguro será tan amable que venga a verte.

BRACK. *(En el sillón, alegremente.)* ¡Todas las noches, señora Tesman, con mucho gusto! ¡Pasaremos muy bien el rato aquí nosotros dos!

HEDDA. *(Con voz clara y distinta.)* Sí. ¿Tiene usted esa esperanza, asesor Brack? ¡Como único gallo en el corral!

Se oye un disparo dentro. Tesman, la Señora Elvsted y Brack brincan en sus asientos.

TESMAN. ¡Vaya, otra vez jugando con las pistolas! *(Descorre las cortinas y entra corriendo. La Señora Elvsted entra tras él. Hedda yace, sin vida, en el sofá. Confusión y desconcierto. Gritos. Berta viene, muy agitada, por la derecha. Tesman grita a Brack:)* ¡Se ha matado! ¡Un tiro en la sien! ¡Fíjese!

BRACK. *(Medio desvanecido en el sillón.)* Pero... Dios me ampare... ¡esas cosas no se hacen!

TELÓN

Edición 2 000 ejemplares, junio de 1985
Poligráfica s.a.
Av. del Taller No. 9 Col. Vista Alegre